通情達理

通情達理

洪蘭——著

品格決定未來

通情達理

—增訂版—

《大眾心理學叢書》
出版緣起

王榮文

一九八四年，在當時一般讀者眼中，心理學還不是一個日常生活的閱讀類型，它還只是學院門牆內一個神祕的學科，就在歐威爾立下預言的一九八四年，我們大膽推出《大眾心理學全集》的系列叢書，企圖雄大地編輯各種心理學普及讀物，迄今已出版達三百種。

《大眾心理學全集》的出版，立刻就在臺灣、香港得到旋風式的歡迎，翌年，論者更以「大眾心理學現象」為名，對這個社會反應多所論列。這個閱讀現象，一方面使遠流出版公司後來與大眾心理學有著密不可分的聯結印象，一方面也解釋了臺灣社會在群體生活日趨複雜的背景下，人們如何透過心理學知識掌握發展的自我改良動機。

但三十年過去，時代變了，出版任務也變了。儘管心理學的閱讀需求持續不衰，我們仍要虛心探問：今日中文世界讀者所要的心理學書籍，有沒有另一層次的發展？

在我們的想法裡，「大眾心理學」一詞其實包含了兩個內容：一是「心理學」，指出叢書的範圍，但我們採取了更寬廣的解釋，不僅包括西方學術主流的各種心理科學，也包括規範性的東方心性之學。二是「大眾」，我們用它來描述這個叢書的「閱讀介面」，大眾，是一種語調，也是一種承諾（一種想為「共通讀者」服務的承諾）。

經過三十年和三百種書，我們發現這兩個概念經得起考驗，甚至看來加倍清晰。但叢書要打交道的讀者組成變了，叢書內容取擇的理念也變了。

從讀者面來說，如今我們面對的讀者更加廣大、也更加精細（sophisticated）；這個叢書同時要了解高度都市化的香港、日趨多元的臺灣，以及面臨巨大社會衝擊的中國沿海城市，顯然編輯工作是需要梳理更多更細微的層次，以滿足不同的社會情境。

從內容面來說，過去《大眾心理學全集》強調建立「自助諮詢系統」，並揭櫫「每冊都解決一個或幾個你面臨的問題」。如今「實用」這個概念必須有新的態度，一切知識終極都是實用的，而一切實用的卻都是有限的。這個叢書將在未來，使「實用的」能夠與時俱進（update），卻要容納更多「知識的」，使讀者可以在自身得到解決問題的力量。新的承諾因而改寫為「每冊都包含你可以面對一切問題的根本知識」。

在自助諮詢系統的建立，在編輯組織與學界連繫，我們更將求深、求廣，不改初衷。

這些想法，不一定明顯地表現在「新叢書」的外在，但它是編輯人與出版人的內在更新，叢書的精神也因而有了階段性的反省與更新，從更長的時間裡，請看我們的努力。

通情達理

品格決定未來

第一篇 真正的教室在窗外

目次 Contents

第二篇　努力過的必在大腦留下痕跡

第三篇　用欣賞的眼光看待學生

第四篇 要會思考，不是會考試

第五篇 教養是孩子最重要的資產

第六篇　手握緊，線放鬆

第七篇　閱讀：給孩子的最佳禮物

第八篇 好書大家讀

推薦文

「閱讀」是父母送給孩子一生最好的禮物

曾淑賢

多年來，洪蘭教授在忙碌的教學、研究工作之餘，翻譯科普書籍，推廣科學素養；撰寫專欄，灌輸家長和老師正確的觀念；馬不停蹄到處演講，希望大家了解閱讀的好處；尤其，到山區、鄉間，給孩子們鼓勵，為老師們加油，她推廣閱讀及科學知識的熱情，令人敬佩及感動。

這本書談孩子的閱讀、學習、品格與教養，洪蘭教授看到了我們社會的問題，苦口婆心地勸家長，要從小培養孩子的閱讀興趣和習慣，也告訴老師要尊重孩子，不要放棄任何一個孩子，每一篇文章，都是小故事，大道理；小文章，大啟發。

三年前，我的兒子參加國中基測，得了滿分，很多人要我提推薦書單給國中生。他們關心的是，讀什麼書，可以在國中基測得高分。如果閱讀課外讀物，可以在入學考試拿高分，那是因為長期的閱讀習慣，讓孩子的背景知識豐富，絕不是讀了幾本書就馬上可以得高分的。如果家長的觀念不改，如何給孩子快樂的學習環境。家長和老師一定要知道任何獨立思考、理性的分析、創造力都與背景知識有關，而背景知識來自閱讀。這也是洪蘭教授一再強調的觀念。

洪蘭教授說：「閱讀像是敲門磚，可以打開人類知識之門。當一個孩子有健全的人格，又有閱讀的習慣時，他就有了面對未來世界必備的條件，世界雖大，他已可任意翱翔，他的人生可以掌握在自己的手中。這正是為什麼我們說安全感和閱讀是父母給孩子最好的禮物。」正如馬英九總統的家訓：「黃金非寶，書為寶。」盼望為人父母者，在孩子小的時候，給他們最好的禮物，培養他們的閱讀興趣和習慣。

書中「以芬蘭為師」一文介紹芬蘭的成功經驗，芬蘭前教育部次長林納（Markku Linna）認為教育成功是芬蘭成功的第一功臣。他說芬蘭有很好的公立圖書館，藏書多，開館時間長，而且全國網路發達，在家就可以上圖書館的網站借書。工欲善其事，必先利其器，一所友善的圖書館是吸引孩子進去閱讀的第一個條件。我曾經在二〇〇〇年參訪芬蘭赫爾辛基市立圖書館及其五個分館，對其公共圖書館的密集分布及進步，印象深刻。以當時五十萬人口的赫爾辛基為例，該市有三十六個分館，平均每一・三八萬人就有一個圖書館，遠高於台北市每五萬人一個分館的情況；而且，即使是平宅區，都有一流設計的社區圖書館，質量俱佳的館藏，舒適的現代化設施，美感的空間佈局及家具設計，難怪芬蘭的閱讀風氣及學生閱讀能力在世界評比上獨占鰲頭，人民的創造力及國家的競爭力都名列前茅。如果我們全國各地都有軟硬體俱佳，像糖果屋一樣的圖書館，就不必再擔心孩子不喜歡閱讀，不願意上圖書館了！洪蘭教授在書中強調的另一個議題是孩子的品格，她提到一個國家是否偉大不在於它的疆域的大小，而在於國民的品德，而品德一定要自小培養起。閱讀對品德極為重要，它是從故事中教孩子做人的道理。我在圖書館工作，每天面對很多不守規矩的民眾，從小朋友到大人都有。一個星期天，巡視總館各樓層時，發現有一個小朋友在電梯口因按不到電梯而吵鬧，我低聲要小朋友小聲點，一旁小朋友的父母卻對我怒目相向；同一天，在自修室，發現很多人佔位子，或故意將自己的物品放在旁邊的椅子上，我請佔位子的學生移開物品時，他們都是一付不情願的表情；有一位佔位子的女性讀者甚至怒氣沖沖，要我不要吵大家念書。我們的社會到底怎麼了？不守規矩的，反倒振振有詞。

希望這本書能夠給台灣的父母和老師一個反省的機會，學習可以是快樂的、有實質的。希望這本書能夠讓父母看到閱讀對孩子一生的重要性，把它當作家庭娛樂，全家一起來閱讀。也希望我們的學校、社會、政府重視品格教育，讓孩子從小養成好的習慣和行為。

一個國家擁有健全人格、豐富知識、開闊視野的國民，國家的未來才有希望。

序文作者簡介

曾淑賢，現任國家圖書館館長暨漢學研究中心主任，曾任台北市立圖書館館長。國立台灣大學圖書資訊學研究所博士，長期推廣閱讀，並擔任中國圖書館學會常務理事、中華圖書資訊館際合作協會常務理事、台灣閱讀協會理事長、台北書展基金會董事；兼任私立輔仁大學圖書資訊學系、國立台灣師範大學圖書資訊學研究所兼任副教授。榮獲財團法人孫運璿學術基金會頒贈對國家建設有重大貢獻之傑出公務人員獎。

自序

有德有才是上品，有書相伴孩子永不寂寞

洪蘭

一本十年前的書，如果要再發行，出版社必然有它的道理，也就是說，社會有這些需求。這需求是什麼呢？它就是本書的副標題——品格。

為什麼要強調品格？因為品德是教養孩子最重要的項目。常言道：有德有才是上品，有德無才是次品，無德有才是毒品，無德無才是廢品。毒品害人無數，罪大惡極，廢品則根本不需要浪費食物去養他。過年時，金光明寺的住持覺培法師有感於現代家庭功能不彰，甚至瓦解，以至於虐童案一再發生，她請我去跟來上香祈福的信徒們談談家庭教育的重要性。當法師問：家庭教育包羅萬象，你們覺得哪一個是家庭教育的核心？底下的聽眾互看一眼，異口同聲的回答「品格」。是的，品格的確是家庭

教育的核心，一個人能力再好，品格不好，他對國家民族的禍害更深更大，漢奸即是一例。

有家長表示，品格太抽象，不知從何教起，他是心有餘而力不足。其實品格一點都不抽象，它就是我們日常生活的態度——我們的說話習慣、做事習慣、衛生習慣、睡覺習慣、讀書習慣等等，加總起來就是我們的品格了。因為是習慣，古人才會說「誠於中，形於外」，習慣假不來，一不小心，馬腳就會露出來。習慣很重要，需要從小培養，因為壞習慣養成，長大後，花十倍力氣都不見得改過來。

那麼為什麼要再出增訂版來推動品格教育呢？因為神經學家注意到第一次就做好的重要性，我們的大腦中有鏡像神經元，專司模仿，它是最原始、最不費力的學習，童年的學習是內隱的學習，是看在眼裡，記在心裡，孩子天生就會模仿的，但是因為不知怎麼學的，也就不知道怎麼去忘記它，因此不費力學來的東西，要忘記它也就更困難。為此我們看到家庭教育的重要性，家庭是最早的學習場所，父母是最初的老師。所以要教好孩子的品格需要父母以身作則，從孩子很小的時候就做正確行為的榜樣給他看。德國教育家福祿貝爾說：「教養無他，榜樣而已」。

台灣現在的社會愈來愈輕浮（政治人物大搞網紅是一例），愈來愈不辨是非（總統府強辯自冉冉也是一例），倫理綱常愈來愈敗壞，君不君，臣不臣，父不父，子不子，令人非常憂心，因此品德教育在現在可以說迫在眉睫，父母必須知道教養孩子的品格是父母的責任，是責無旁貸的。

養成孩子的好習慣對孩子本身也有利，太陽底下沒有新鮮事，已有之事必再有，已行之事必再行，從過去的經驗，我們看到品格決定命運，習慣決定機會，一些看似無傷大雅的習慣會決定一個人的成敗。在人浮於事的時代，一個小小的無心動作就會決定求職的成敗。曾有一個學生去面試工作，進門時自顧自進去，沒有替後面的人扶一下門，讓門彈回來，打到後面跟著進來的人。那個人「哎」了一聲，他回頭看了一眼，覺得不關他的事，沒有表示歉意，就按電梯上樓，他沒想到那個人就是面試他的老闆。另一個學生是在電梯內剔牙，被老闆看到這個不雅的行為，下次升遷時跳過他，因為老闆認為他的衛生習慣不好，不適合代表公司出外談生意。

我跟學生談到這些小事時，很多學生都不知道為什麼不可以。他們不知道這些小小的服務其實是一種體貼，是人際關係中很重要的一環。一般大門都比較重，前面的人費勁把門拉開了，那麼扶著門，讓後面的人輕鬆進來是順手之勞，也是一個禮貌，尤其後面是老人家的話。至於不好的衛生習慣會令人噁心，別人避免跟他在一起也就是當然的事了。

其實現在很多大學生連怎麼稱呼人、怎麼說話都不會。有個學生要找老師討論文題目，寫電子郵件跟老師說，「下面是我有空的時間，你任選一個」。老師拿著這封信問班上學生，你們覺得應該怎麼寫才恰當？一個人說：應該要在後面加個「喔！」，聽了令人氣結。我也有學生寫信來要分數，最後討好的寫道：「老師你要幸福喔！」好像加個「喔」撒個嬌就有禮了。不知道現在的人是真的不知道進退應對的禮貌，還是受到整個社會幼稚化的影響，很多人不管年齡身份，照相一定要擺手勢，說話一定要嗲聲裝可愛，其實任何不符合年齡身份的舉動對別人都是不禮貌。

我們常忘記生活教育才是教育的真諦。美國National Cash Register的總裁Stanley Allyn很早就看到人際關係的重要性，他說「現在世界上最有用的人是那些懂得與別人相處之人，人際關係是人類生存最重要的科學」。人際關係要從生活中去體驗，從閱讀別人的經驗中去內化。尤其現在知識翻新的那麼快，學生離開學校出社會所要用到的知識還未發明，工作也還未出現，所以學校除了教四個基本的「聽說讀寫基本功」，讓孩子有能力去學將來任何新的東西之外，剩下的就是教孩子做人做事的道理了。我們小時候常跟著父母出外訪友，學習稱呼及應對進退之道，現在父母忙於生計，無暇教孩子，只好靠閱讀好的經典書，讓書中的先聖先賢來教孩子了。不管科學怎麼進步，社會怎麼變遷，人類社會基本的核心價值觀——忠誠、正直、公平、正義是不會變的，這是為什麼孩子要閱讀好書。

其實，父母更需要看書，大人必須與時俱進，才會贏得孩子的尊敬，教養才有效，因為一個人不會聽他不尊敬人的話。因為模仿的天性，父母看書，孩子也會跟著看書，從而養成閱讀的習慣。閱讀是父母給孩子最好的禮物，它像是一把鑰匙，打開人類知識的大門。一個有閱讀習慣的孩子永遠不會寂寞，因為他有書相伴。

有書相伴，從精神上得到滿足，這是一個人在現代社會中能得到快樂的最高境界。

第1篇

真正的教室在窗外

1 唯有群策群力才能有所突破

國際合作是二十一世紀研究的趨勢，
群策群力是登上國際舞台的方式。

人每一分鐘都不停的在做決定：要不要起床、早餐吃什麼、穿哪件衣服去上班……，就像丹麥哲學家齊克果說的：「不做決定，本身就是一個決定，不做選擇，本身就是一個選擇。」它緊扣著我們的生活，但是我們對大腦如何做出決定卻毫無所知。

當然，我們知道視網膜上的感受體會把光波轉換成電波送到視覺皮質去處理，但是然後呢？是誰決定這個訊息要不要通知運動皮質區去馬上逃命？前幾天，高速公路上，遊覽車追撞小客車，司機說前車夜間行駛未開燈，等他發現前面有車時，剎車已來不及，但是行車記錄器卻顯示前車有開燈，只是亮度不足。儀器偵測到了，人腦卻還未。

在實驗室中，老鼠的大腦裡插了探針來登錄神經元的活化，牠們在看到螢幕出現的紅點後，若立刻按桿，就會有東西吃；沒有紅點而亂按，則受電擊。當訊息很微弱時，老鼠就要做決定，要吃還是要電？用這個方法，可以找出做決策的神經元。但是這個簡單的實驗結果常不同，令神經學家很苦惱，不知問題出在哪裡。

最近美國的賽蒙基金會（Simons Foundation）和英國的威爾康信託（Wellcome Trust）用一千萬英磅成立了一個由二十一個實驗室組成的「國際大腦實驗室」（International Brain Laboratory），因為大腦太複雜，要靠眾力才可能成功。這二十一個實驗室用的老鼠都要來自同一家族，都接受同樣的訓練，都用同樣的實驗方法，這樣得出的結果就可以相互比較了。

我很高興看到這個消息，因為我們在做語言和閱讀的研究時，也碰到同樣的問題。

人類的文明因為有文字的傳承和閱讀的能力才進步的這麼快，但是每種語言的文字不同，大腦在處理這些不同的文字時，差別在哪裡？為什麼世界上不同文字系統的民族都發展出他們的文明來？大腦是如何的殊途同歸？所以五年前，我們和以色列、芬蘭、西班牙和美國的研究團隊用同樣的方法做同樣的實驗，比較不同文字的大腦處理方式。這個結果後來發表在頂尖的期刊上，因為五個不同實驗室的結果都一樣時，沒有人會挑戰。

國際合作是二十一世紀研究的趨勢，台灣的研究資源明顯不足，要登上國際舞台須有策略，群策群力是一個方式。

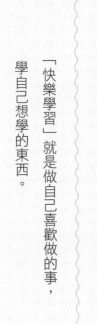

2 抓住動機，快樂學習

「快樂學習」就是做自己喜歡做的事，學自己想學的東西。

在捷運上碰到一位老師，她說她明年要申請退休，因為她覺得教不下去了。現在的學生不能打、不能罵，加上又要快樂學習，她說學生不逼就不會有成績，一逼自然就不快樂，所以她決定退休不教了。我聽了很感嘆，學習一定要痛苦才會有成績嗎？為什麼每個人都覺得做學生就是應該愁眉苦臉呢？我曾經領略過學習的快樂，所以也很希望別人能有這經驗。

「快樂學習」就是做自己喜歡做的事，學自己想學的東西，你會覺得時間過得飛快，一轉眼一天又過了。做到快樂學習並不難，基本上先要抓住學生的動機，在他想學時教他，他學得最快、效果最好，當然也最快樂。先決條件是班上學生人數不能太多，老師才能注意到學生各別的興趣，然後因應他的興趣去啟發他。

我朋友把她的孩子從明星學校轉到郊外一所面臨廢校的小學，那裡山明水秀，學生人數很少，老師上課就用啟發式的，帶孩子在戶外上課，室內只用來查資料，她說：「孩子每天迫不及待地睜開眼睛要去上學，因為每天上學都是新經驗、新學習，跟她以前判若兩人。」當人數少時，老師可以注意到學生平日的表現，評量可以不全靠考試，只要有用心，老師都給高分，孩子受到鼓勵，就非常願意再努力以取悅老師。孩子犯錯時，老師因為知道他是怎麼想才犯這個錯，從想法上去糾正，這個錯就不會再犯了。

或許父母可以試著把不快樂的孩子轉到鄉下的小學，一方面搶救小學不被政府關掉，另一方面，孩子心情好會喜歡學習，是一舉兩得的事。父母不必擔心鄉下小學資源不夠，小學教育是啟蒙，為將來打根基，小學階段身心健康成長最重要，小學生上學最主要是學紀律、學品德、學團體生活，知識學到多少不是重點，因為人生的知識是學不完的，有動機以後隨時可以學；反而是從小培養出學習的動機，他一輩子受用不盡。當老師與學生一起在河裡玩石頭（做數學）、唱歌（教國語）時，學習怎麼會不快樂呢？

孩子要快樂，父母的觀念也要改變。學習不是只有在教室中發生，它是有動機時就發生，強迫孩子每天坐在教室中，沒有讀進去也是枉然。其實有動機時，他們的表現會令你刮目相看的。有一位山地國小的教師帶全體六年級學生下山，去參加一個天文愛好者的聚會，在那裡，他的學生侃侃而談，不但言之有物，而且勇於表達，令人不相信他們是山地的學生。這起源不過是有人捐了一架望遠鏡，有志工上山去教他們，啟發了他們的興趣，學生自己上網找資料，相互切磋，幾個月下來，卓然有成。

其實我們都知道，學習是偷著學時學得最快。我總覺得教育的投資比任何投資都好，因為它是穩賺不賠。一個心智的啟發是無價的，很多時候老師一句話，觸動了孩子的心弦，一個孩子就被我們帶起來了，這是教育最令人感動的地方。

不可諱言地，目前大環境很困難，但是事在人為，每個老師從自身做起，做多少算多少，積少成多，慢慢風氣就會改變了。羅馬不是一天造成的，朝著對的方向做，總有一天孩子會快樂。

3「想留下點什麼」的信念

一個人窮一生之力做出來的一定是精品，
它會流傳下去。

國父紀念館曾經舉辦了一個玉之華特展，當時，我母親喜歡精緻的藝術，我便陪她去看。在會場看到一件非常美的玉雕：一隻纖纖玉指捏著一片落葉，上面有一隻栩栩如生的蝴蝶，最妙的是葉子的脈絡隱約是一張沉思的臉，作品的名字叫「悟」，一個字便畫龍點睛的傳達出創作背後的意思。我們在「悟」的前面流連再三不忍離去，驚嘆作者的巧思，更驚嘆人的手可以做出如此精細的東西來。難怪我們有「巧奪天工」的成語，我們都認為只有天上才有這麼好的東西，想不到人間可以做得比天上的還好。

「悟」的作者叫黃福壽，國中畢業後，沒有考上高中，便獨自北上打工。因為沒有一技之長，只好去玉石工廠做粗工，就這樣學會了使用車床，進入玉的世界。玉雕是慢工出細活，一件作品要花上一年半載的時間，所以他的生活不很寬裕，但是他沒有去做比較討喜、容易賺錢的寶石加工，他說他想留下點什麼。這個「想留下點什麼」很讓我感動。

人生苦短，自古以來，有智慧的人都看到人總得留下點什麼才不虛度此生。所以古人說：「**太上有立德，其次有立功，其次有立言。**」（出自《左傳》）這是三不朽，但是一般人達不到這麼高的標準，我認為只要有想留下點什麼的心，他就不朽了。因為一個人窮一生之力做出來的東西一定是精品，它會流傳下去，雖然創作的人已逝去，但是他們的作品會讓我們知道世界上曾經有過這麼一個人。

一位科學家說：人體有 10^{25} 氮原子，死後會滲入大氣中，祖先會和子孫在空中相遇，因為人死了會回歸塵土，分解成化學元素，飄浮在空氣中，我們其實無時無刻不在與逝去的人接觸；一件精美作品的創造者更是如此，每一次有人觀賞他的作品，他飄浮的分子又聚合成形，在我們的心頭出現。很多人在義大利看到米開朗基羅的作品，在故宮看到顏真卿的字，都有這種感動。這個在人間要留下點什麼的意念，就是人類文明的原動力，我們要想辦法把這種感動教予學生。

那一天，看完展覽，心中澎湃不已。創意的重要性常被功利的社會所忽視，使得藝術家不得溫飽。其實會念書的人很多，有創意的人很少，我認為創意比較重要，是因為這世界若沒有莫札特，就沒有莫札特的音樂；若沒有畢卡索，就沒有畢卡索的畫。創意是人類智慧的最高表現，沒有這個人就沒有這件作品。

在回家的路上，我一直想起父親說過的話，他說：「上天是公平的，天賦高的人，少年得志；毅力強的人，大器晚成。」人生是看終點，所以早發跡晚發跡沒有差別。天賦不能強求，但毅力可以訓練，有毅力的人的成就往往比聰明人還大，因為「為者常成，行者常至」。看到今天的作品，感到父親是對的，有毅力的人會留下令後人感動的作品並因此而不朽，我們每個人都應該有「想留下點什麼」的信念，盡力使自己不朽。

4 反掌小鼓手的啟示

「我每天想的是該怎麼陪孩子成長學習，哪有時間去傷心難過？」

曾有報載新北市泰山區有位五年級的小朋友，天生手掌反折，是嚴重的肢體畸形。連筆都握不好的他，卻用無名指與小指頭夾住鼓棒鍥而不捨的練習，成為泰山鼓舞團的團員，出去比賽，一點都不輸正常的孩子。他不但會打鼓，還會打籃球，同學從原來的排斥到接受，到現在喜歡跟他一起。他說：「自己有能力，才能讓人看得起。」看了令人感動，因為「自助、人助、天助」，一定要自己先站起來，別人才能幫助你，上天給你的機會才抓得住。

我們也看到這個孩子會成功，最主要是他的母親沒有自怨自艾，不浪費時間去怨嘆上天對她不公，她說：「我每天想的是該怎麼陪孩子成長學習，哪有時間去傷心難過？」Bravo！如果每個母親都能如此達觀，台灣的憂鬱症會少一半。

看到報上這位生命的小勇士打鼓的照片，真的感覺到人的大腦可塑性很強，只要外面有模式，它就能模仿。沒有手的人，他可以用腳、可以用嘴咬住筆來寫字畫畫，因為外面已經有了手的模式可供參考，它可以重新組織神經迴路，取代原有的功能。

過去曾經有手因高壓電電擊而截肢的病人，到醫院哭訴已經截去的手會痛，而且痛得很厲害，無法生活。一開始時，醫生不相信，手都沒有了，還痛什麼呢？但是因為病人痛到流冷汗，醫生知道不是假的。後來美國加州大學聖地牙哥醫學院有位神經科教授無意間觸及病人的臉頰，病人不存在的手立刻痛起來，才知道原來掌管手的神經，因為手被截肢，等於是失業了，一個平常工作很繁忙的人（手的神經很多）一旦失業，日子是過不下去的，於是便東家長西家短，串門子去，看看別人會不會需要他的幫忙。在我們的運動皮質上，身體各部位功能的分配圖為臉的上面是手，手的上面是身體，因此手的神經往下延伸就到臉，往上則到身體，醫生不小心碰觸到病人的臉時，到臉部來串門子的手的神經被活化，因此手就痛起來了。

看到人的大腦有這樣大的可塑性，就深深感到任何一件事，如果下決心去練，一定會成功。美國曾有一個研究，大學生先到實驗室來掃瞄他的大腦，確定他運動皮質區等各功能的部位在哪裡後，叫學生練習拋三個球，如雜技團的拋接球，他們每天練，要練到拋接三個球一分鐘球不落地才及格。這時，掃描他們的大腦，然後讓學生回家休息三個月不要碰這些球，再回到實驗室來掃描大腦。當把同一人三個不同時期所照的片子擺在一列比較時，我們立刻看到中間那一張大腦運動皮質區因為練習拋球，區域變大，三個月不用又變小。大腦是終其一生不停的因外界需求而改變內在神經功能的分配。

我們常勉勵學生事在人為。的確！實驗證明只要外面有模式做榜樣，你都可以模擬它的功能，用你完好的部分來取代殘障的功能，一開始時以嘴咬筆會咬到流血，以手夾鼓棒會磨到起繭，但是一旦神經迴路借調完成了，你的嘴就揮灑自如，你的手就打得和別人一樣有力，而且一通萬通，你就可以畫畫、打籃球，做很多手可以做的事了。人生不怕挫折，只要自助，就一定會有人助、天助。泰山區王天佑小朋友就是一個最好的例子。

5 真正的教室在窗外

真正的教室在窗外，
人生旅途上用到的知識多是課本上沒教的。

一位外國教授來台講學，把他小學三年級的兒子也帶來在本地就學。我們問他：「在學期一半時把孩子帶出來，難道不怕耽誤他的學業嗎？念了三個月剛適應又要回去了，對孩子不是太辛苦了嗎？」他聽了，很驚訝地反問道：「人生不是應該不停的適應嗎？從小學習適應對他以後人格的成長有益。看不同的國情，體會不同的文化，不是更好的學習嗎？」

真正的學習是不拘任何形式的，課本的知識永遠可以自己學，但是課本之外的東西卻是可遇而不可求，多見識不同的文化是打開孩子視野最好的方法，所以他把孩子從課堂中帶出，讓他去學習課堂之外的知識。我們聽了，很佩服這位父親的遠見與勇氣，畢竟真正的教室在窗外，人生旅途上用到的知識大部分是課本上沒教的，只不過一般人被傳統的觀念所束縛，認為學習就是要在教室裡一板一眼的上課，沒有勇氣反抗。

過了不久，他又問我們：「為什麼中國的孩子課上那麼多？從早上到晚，回家還要做一大堆作業，我們的孩子什麼時候遊戲呢？」他說美國孩子下午兩點半就放學了，有充分的時間從事課外活動，他說他的兒子在這裡想打籃球，但是每天放學天都黑了，不能打。他認為體育比智育重要，有健強的體魄才有完整的人生。

我們聽了不知該如何回答。

人家說旁觀者清，他真是一眼看出我們教育的問題。從以前到現在，我們都是這樣一直上課拚命填鴨。其實，在課堂裡把學生的動機引發出來，其餘的可以自己回家去看書，眼睛看字比耳朵聽話快了三倍，老師若在課堂中念課文，那是太浪費時間了。如果知識吸取的重擔是放在學生晚上大量閱讀上，那麼白天的時間就可以挪出做課外活動，尤其是需要團隊合作的球類，如籃球、棒球等。

有一位哈佛大學負責面試新生的教授說：如果兩個學生SAT（大學入學能力測驗）的成績和功課一樣好，但他只有一個名額時，他會選擇打籃球的孩子，而不會選擇慢跑的孩子，因為現在是科際整合的時代，一個孩子若有團隊精神，他就容易和別人相處，有朋友幫忙，將來在事業上成功的機率就比較大。教育是投資，他們只投資在以後可以回饋母校、為母校爭光的孩子身上，所以他選打籃球的。我們現在教育都沒有顧到外面世界競爭力的需求，當別人都在因應世界潮流改變他們的教學政策時，我們卻還在原地踏步，真是令人心焦。

一個觀念的改變需要長期不斷的宣導，不是三言兩語就改得過來的。曾經有報載：基隆有一位拿到自然科SUPER教師獎的老師，一開始時被評為不適任教師，甚至有家長要求撤換他，因為他重啟發，上課不照課本念，作業不多，考試也少，為了怕抹殺學生對科學的熱情，所以不叫學生念參考書，結果引起家長不滿，認為他偷懶，要求學校撤換他。幸好他指導的學生每年參加科展都拿到獎，家長的觀念才慢慢改過來，他說學生得獎是他的「免死金牌」，看了令人心酸。

教育本來就是啟發，這位老師是對的，但是為什麼我們仍然跳不出分數的窠臼，還是注重表面的高分而不在意他大腦中究竟學會了什麼呢？畢業以後，沒人在意你在校的成績如何，但你真正學到的東西卻是使你一輩子受用不盡。

6 遊戲比讀書更重要

遊戲除了學習團體生活，
還能導教孩子類化已學到的規範。

現在很多父母都已看到閱讀的好處，有空願意拿書念給孩子聽，這是很可喜的現象。不過遊戲還是孩子的天職，遊戲的重要性不亞於閱讀，父母除了念書給孩子聽，還需帶他去跟別人玩。

有個孩子，一歲半就被媽媽抱在身上親子共讀，兩歲半自己會拿著書看，是個愛看書的乖孩子。五歲進了幼稚園，老師卻說他過動，愛打人推人。母親自己去幼稚園觀察，才發現其實不是過動，而是不知道如何與人玩。

原來這孩子是獨生子，從小在公寓長大，不懂得如何與別人溝通。在幼稚園中，他要某個孩子跟他玩時，便去拉人家，或把另外一個孩子推開，自己去取代那個孩子的位置。母親這才發現，當時一直把他關在公寓裡是錯了，孩子需要從小學習和別人相處。

這其實也是很多現代母親的想法，因為現在社會太亂，外面的世界不安全，車子多、壞人多、空氣髒，如果帶到公園，萬一一個不留神，被壞人抱走就糟了，加上公園的玩具是公用的，她認為不衛生，不如在家中玩樂高。所以，她的孩子長到五歲才第一次體驗團體生活。想不到在公寓中單獨與母親互動的那一套，在團體中不適用了，他只好使用最原始的互動方式——肢體接觸——去溝通，才會被老師認為是過動。

德國的人類學家曾經描述過一個部落孩子的童年，他說：「三歲大的孩子就可以加入遊戲團體了，孩子其實是在團體中長大的。年紀大一點的孩子會解釋遊戲規則，也會告誡那些不守規則的人，例如搶別人的東西或愛打人會被驅逐出團體。所以孩子的社會化主要在遊戲團體中發生……一開始時，年長的孩子會容忍年幼孩子的行為，但是容忍有上限，再犯就不跟他玩了。從團體遊戲中，孩子學會什麼行為會激怒別人，什麼規則一定要遵守。」現在很多學者都認為，孩子的社會化是在同儕團體中完成的。

遊戲除了學習團體生活之外，還能導教孩子類化已學到的規範。美國有位心理學家把嬰兒的腳踝上綁一根絲帶，絲帶另一端綁在搖籃上面的走馬燈上，當嬰兒醒來，腳踢動時，上面的走馬燈就轉了，嬰兒很快就發現這個關係，會一直踢，咯咯的笑。但是假如換了走馬燈的顏色或花樣，或把小床從臥室搬到客廳，他們就不踢了。實驗者發現只要在學習時，讓嬰兒看不同種類的走馬燈或在好幾個不同的房間練習踢，嬰兒就會繼續踢。

所以小時候刺激的多樣性，對他學習的彈性（類化）有幫助。如果情境相似，那麼在這個情境中行得通的，在另外一個情境中應該也可以。缺乏這個彈性，孩子就不知道為什麼在家中和媽媽可以的，在外面跟小朋友就不可以。

如果孩子需要在同儕團體中完成他的社會化，我們就要給他機會與別人玩。書本帶給他知識，遊戲教他拿捏人際關係的分寸。讀書和遊戲是人格和智力成長的兩大推手，缺一不可。所以在念書給孩子聽之餘，也要常讓他跟別人一起玩。

在發展的理論上，遊戲比讀書更重要，因為情緒的窗口關得早，人品也比知識重要。在現在的社會，最後決勝負的是領袖魅力，而領袖力必須在團體才培養得出來。

7 以動物為師

連魚都有我們以為只有聰明人才有的能力時，
我們怎能不謙虛呢？

聰明才智是「萬物之靈」的人類獨有的嗎？科學研究顯示並非如此。科學家在猴子的大腦中發現了「鏡像神經元」（mirror neuron），即猴子看到別的猴子做某個動作時，牠自己大腦中做這個動作的地方也會活化起來，因此下結論「模仿」是最原始的學習。最近，研究者更發現魚只要觀察別的魚打架，就能知道自己跟牠比起來的優劣如何，不必親自去比劃較量就知道自己在團體中的地位，動物有這種智慧，不能不讓人嘖嘖稱奇。

史丹佛大學的研究者把東非洲的一種麗魚（cichlids）放在實驗室的水族箱中，

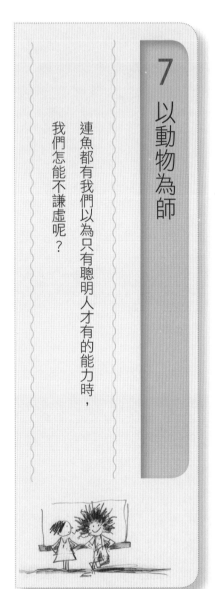

觀察牠們的社會階級行為。這些魚在自然生態環境中好勇狠鬥，因為在自然界中，贏者通常享有領域、食物與交配權，因此，在動物群體中，社會排序很重要，它關係著基因的延續，不可等閒視之。

實驗者把一條魚放在水族箱的中央，四周用玻璃隔成小房間，彼此不相通，但是在中央房間的魚可以看到每個小房間兩條魚打鬥的情形。實驗者讓A魚與B魚打，當A魚贏時，牠鰓旁會出現直紋，又深又黑，而輸的魚黑紋暫時褪色，所以很容易知道誰是贏家。過一陣子後，兩條魚又會都恢復正常的顏色，別人就不知道牠們曾經幹過架了。中間的魚就在安全的水箱中觀看了A打敗B，B又打敗C、C打敗D、D打敗E，等一圈輪完後，實驗者把中間的魚和A和E放在新的水槽裡，這時，原來作壁上觀的魚就要判斷牠要向誰挑戰，以決定目前在這新水槽中的社會地位順序。

實驗者發現牠立刻游到E的旁邊，因為柿子撿軟的吃，從前面的觀察中牠知道A最強，所以不要惹牠比較好。如果把這條魚與B、D放在一起時，牠就會游到D的旁邊，雖然B與D的強弱沒有A與E那麼明顯，但是B還是比D強。實驗者一共做了八條魚，這八條魚的表現都非常一致——找弱的欺負。

這實驗美妙的地方是，A不曾跟E對打過，B也不曾與D對打過，但是魚竟然有推理能力，可以知道如果張三打敗李四，李四又打敗王五，那麼張三就可以打敗王五。魚是相當低等的動物，連這麼低等的動物都有推理能力，難怪孩子轉學到一個新學校時，從觀察別人的互動中就馬上知道誰可以惹，誰不可以。

愈來愈多的動物實驗讓我們看到有機體對環境的敏感，一點點提示就會改變牠們的行為。伊朗的連體雙胞胎明知分割成功的機率只有百分之五十，仍然選擇做分割，就是因為她們的個性完全不同。她們是同卵雙胞胎，先天的基因相同，她們的頭連在一起，後天的經驗相同，但是在我們看來所有條件都完全相同的人卻發展出兩個不同的人格。我們現在了解這個不同就是環境中些微的提示造成的，所以我們對學生的態度要盡量一致，不可偏心。這實驗同時也教了我們謙虛，連魚都有我們以為只有聰明人才有的能力時，我們怎能不謙虛呢？

8 花的聯想

相貌會隨著時間流逝老去，
只有能力會靠經驗累積而愈強。

幾乎每個人都喜歡花，除了賞心悅目，我們還可以從它身上領略一些人生道理。

談到花，大家第一個聯想到的便是顏色。不論是種在溫室中的玫瑰花或是山谷中綻放的百合花，它都有顏色，顏色正是花最吸引我們的地方。

顏色也正是人類嬰兒最早的分類法則。如果我們給小孩子一堆各種形狀、大小不一、五顏六色的東西叫他們分類，他們會先依顏色分成紅的一堆、黃的一堆、綠的一堆，似乎顏色就是一個區分東西的最基本因素；如果第二次叫他們分，他們才會分成大的一堆、小的一堆；等他們再長大一點後，才會分成三角形一堆、圓形一堆、方的一堆。

我們的眼睛視網膜中也有專門處理顏色的錐細胞，對不同長度的光波敏感，它們集中在中央小窩（fovea）的附近，所以如果要辨別顏色，我們通常會轉過頭來，面對這個東西仔細觀察，因為只有眼睛中央才有錐細胞分布，旁邊的桿細胞是不能分辨顏色的。

顏色的確是最突出的東西，中國人說「萬綠叢中一點紅」，這個「紅」使你在一大堆背景顏色中立刻看見它。做人也是一樣，一定要有自己的特色，才能使別人在芸芸眾生中一眼就立刻看見你。

有一次，我們跟隨一位國小校長去他爸爸家採橘子，車在深山中繞來繞去，而且路是只容一輛車通過的產業道路。車中一位朋友忍不住問校長的太太：「你是看上他哪一點，願意嫁到這麼偏僻的山裡來？」校長的太太也是校長，能力很強，她說她結婚是看人，不是看地址。她先生是同班同學中最突出的，十八般武藝都會，雖然家窮，她還是馬上被他吸引，最後嫁給他了。

所以外表的相貌不重要，品德和能力才重要，因為相貌會隨著時間的流逝而老去，只有能力會靠著經驗的累積而愈來愈強。古人不是說人生最不堪的便是「**朱顏辭鏡花辭樹**」（出自王國維〈蝶戀花〉）嗎？做人最重要的是充實自己的內涵，不要去追求外在的虛榮，因為人一定會老，這是任何人，包括秦始皇在內，都挽回不了的，但是如果自己有能力，它會像萬綠叢中一點紅那樣，使你突顯出來，它更會使你在年華老去後，仍然是一個引人注意的傑出的人。

談到花，第二個聯想到便是形狀，花朵的形狀非常多種，但這不是花存在的目的，不論是花朵鮮豔奪目的牡丹或是路邊沒沒無名的野花，它存在的目的都一樣：把基因傳下去。也就是說，花的形狀、大小、顏色對花來說都無關緊要，它們所負的責任都是：開花、結子、孕育下一代。如果是蟲媒花，它的顏色就很鮮豔，還有香甜味，吸引昆蟲過來採蜜，幫助花粉的交配；如果是風媒花，顏色就不重要了，大自然不會因你的顏色而大小眼。

看到花，我們其實也有很大的啟示，人要依自己的才能去做適合自己的事，如果是風媒花就不要強求顏色。我們活在世界上也如花一樣，不論膚色、高矮、聰明才智，我們的存在目的都是把我們的基因傳下去，但是人類比其他生物更高級一點的地方是人類有智慧，懂得要為人類做一些事，使這個世界因為曾經有過我們而變得更好。

9 螢的啟示

人不可讓人猜到下一步，
亦不可不按牌理出牌、沒有規矩。

在我小時候螢是夏季不可缺的角色，我們常把螢火蟲捉來放在玻璃罐中，然後把房間電燈都關掉，看看能不能像古時候「囊螢苦讀」的車胤一樣，藉著螢火蟲的光讀書（結果發現不可以，除非他捉很大一把）。

螢一直是中國詩人很喜歡的動物，杜牧有詩：「**銀燭秋光冷畫屏，輕羅小扇撲流螢；天階夜色涼如水，臥看牽牛織女星**。」勾畫出一幅非常美的夏夜圖。從前台北市也有座螢橋，橋下有許多竹製躺椅，讓人嗑瓜子、乘涼。後來讀《紅樓夢》元宵節時大觀園的十二金釵在打燈謎，李綺出的謎面是「螢」，要打一個字。眾人都猜不到，薛寶琴猜是「花」，就對了。林黛玉說：「這個謎妙得很，螢不是草化的嗎？」原來中國人說「腐草化螢」，雖然我們現在知道腐草並不能化為螢，腐草只是個環境，必須先有蟲卵才行，但是古人的觀察力不足，看到草腐了、螢就飛出來，以為是腐草化螢，就沒有想到植物是不能生出動物，一定得是動物才能生動物。古人從前也說「腐肉生蛆」，其實若沒有蒼蠅在腐肉上下蛋，蛆也生不出來，肉腐了、發出臭味，這個臭味吸引了逐臭之夫的蒼蠅來產卵，腐肉就生蟲了。

所以做一個科學家，觀察力最重要，沒有敏銳的觀察力，下的結論就會錯誤。然而要能明察秋毫並不是這麼容易，在現代人中，我所知道唯一當得上這個觀察家榮譽的只有李淳陽老先生，他的傳記《昆蟲知己李淳陽》（遠流出版）非常好看，記錄了他怎麼在六十年前台灣還很窮、沒有儀器、沒有經費的情況下，靠著他的觀察力與聰明的腦力，設計出令外國人嘆為觀止的昆蟲實驗，解決了很多農作物蟲害的問題。

小朋友訓練觀察力可以先從生活周邊的動植物著手，一邊觀察、一邊記錄、一邊動腦想就會成功。記錄很重要是因為動物的生活是週期性的，找出牠生活的規律，就能找出牠的特性，同時也就能找出保育或防治牠的方法。

規律是大自然運行的法則，日夜交替、春夏秋冬、生老病死。然而這個規律雖不可不遵行，也不能一個勁的死守：不遵行大自然規律的人容易生病，太死守規律卻容易送命。

二次世界大戰時，日本的海軍上將山本五十六就是一個非常嚴守紀律的人，每天按照既定的行程表做事。美國破解了日本軍方的密碼，知道山本將於某年某月某日前往南太平洋的所羅門群島巡視，美軍算準他飛機起飛時間，從中途攔截，將他的座機打下，決定了美軍在南太平洋的勝利。當時，美國國防部不敢決定要不要派戰鬥機去攔截，因為日本還佔有大部分的所羅門群島，美軍只攻下幾座島，萬一時間抓不準，那些島上的高射砲對戰鬥機是很大的威脅；但是如果時間抓得準，只要在山本的座機通過美軍佔領島的上空時，加以攔截即可。

因為一個人的行為定型了、不會改變，山本五十六從來不遲到，因此最後美國的羅斯福總統下令「予以攔截」。山本一死，日本海軍群龍無首，南太平洋戰事也就定局了。

小時候，父親常對我們說這個故事，告訴我們人不可放肆，亦不可死板，不可讓人猜到你的下一步，亦不可不按牌理出牌、沒有規矩。螢的一生很短，但是在短短一生中，李淳陽會告訴你：牠是有智慧的，牠掌握了宇宙的運行規矩，在規範中有變化的演完牠的一生。

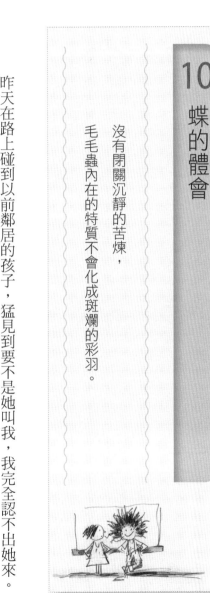

10 蝶的體會

沒有閉關沉靜的苦煉，
毛毛蟲內在的特質不會化成斑斕的彩羽。

昨天在路上碰到以前鄰居的孩子，猛見到要不是她叫我，我完全認不出她來。真是女大十八變，因為她小時候的綽號叫「豬八戒」，矮矮胖胖，一個黑黑的大豬頭，常被她哥哥欺負，想不到現在出落得這麼標緻。那一整天，我一直想到「蛻變」——脫胎換骨的變，變得和原來的全然不同。在蝴蝶身上完全找不到毛毛蟲的影子，大自然真是非常的神奇。

我小時候，姐姐告訴我蝴蝶是毛毛蟲變的，我怎麼都不能相信，因為兩者沒有絲毫的相似，大人不是小孩變的嗎？但是大人與小孩在形體上還是很相似啊？一直到我親眼目睹蝴蝶破蛹而出時，才相信了大自然的巧妙，嘆為觀止！

其實，教育就是一個蛻變的歷程，它使孩子在心智上，從懵懵懂懂什麼都不知道，變化成為能夠計算火箭軌道、可以送人上太空的科學家，這個轉變與毛毛蟲羽化成蝶同樣教人不可思議。

最近好幾所大學舉辦畢業典禮，我看到從前稚氣未脫的青少年，在這四年中轉化成找到自己人生方向的成年人步出校園，心中的感動和當年姐姐指給我看蝴蝶破繭時，一樣深刻。教育是一個生長的歷程，它是心智的成長，它也會像大自然一樣，使青澀的年輕人轉換成為穩重的成年人。

人的生命也與蝴蝶一樣是很短暫的，我念初中時，國文有一課說：「**草木禽獸昆蟲，有朝生而暮死者，有春夏生而秋冬死者，有十年百年千年而死者，雖有遲速，相去曾幾何時，惟人亦然。**」（出自張士元〈自立說〉）老師告誡我們不要做蜉蝣，朝生暮死，那時年輕，覺得來日方長，一點都不曾把老師的話聽進去；現在匆匆過了六十個年頭，回想起來，益發驚覺老師話中的深意了。只是人生有很多經驗無法用言語傳達，總要等自己身歷其境了才能體會，只不過聰明才智高的比較能參透，有些人渾渾噩噩的過了一生，辜負國家、父母培育之恩。

對於生命，我們應該有正確的觀念，目前社會上流行的拉皮、整形、隆胸、豐臀我其實很不以為然，老去是大自然的規律，時間過去若能換得智慧與經驗，這外表的美醜又算什麼呢？難道我們不曾教過孩子「金玉其外，敗絮其中」的可悲嗎？古人曾說三日不讀書，便覺面目可憎，言語乏味，目前社會這種一味追求外表的虛華將會殘害我們青少年的心靈，將大好的時光用在追求人工的美貌，殊不知真正的美必須是誠於中、形於外的！蝴蝶能生長出美麗的翅膀是先經過一段繭內成蛹的苦煉，沒有閉關沉靜的苦煉，毛毛蟲內在的特質不會化成斑爛的彩羽。

天下沒有不勞而獲的東西，若要有意義的走完人生，必須把握光陰，善用上天給你的智慧，為自己和他人留下一個後代子孫可珍惜的事物。

第2篇

努力過的必在大腦留下痕跡

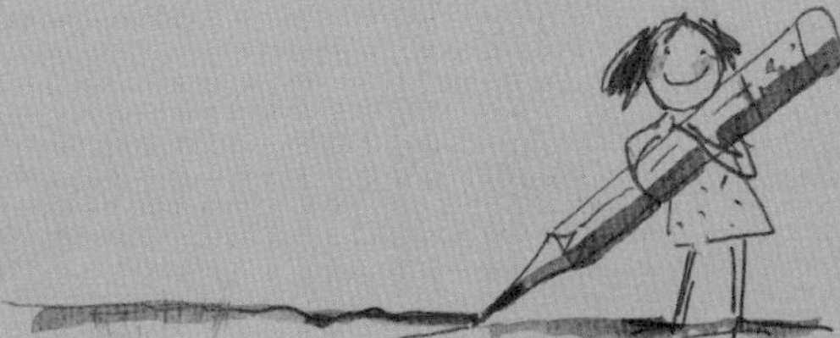

1 學得早，不如學得好

研究發現晚上學，對孩子身心健康較好，發育較成熟後才學習，可減少挫折感。

一個很有愛心的山地國幼班老師沮喪的對我說，她班上九個孩子中有四個被診斷為智障或邊緣性智能障礙，她懷疑自己教得不對，想要辭職。後來去到另一所小學，也是有二分之一的國幼班生是智障。我想，怎麼這麼巧，不同的學校竟然都是一半智障？我去班上看，孩子剛睡完午覺在疊被子，一個個天真活潑，看到我都圍上來要我抱，實在看不出哪一個是智障。老師把孩子叫出來，我一看，大吃一驚，那些我認為最聰明的竟然是被醫院診斷為智障的。

我把診斷書拿來仔細一看，才發現醫院用的是「魏氏學前兒童智力量表」

（WPPSI），它測驗的項目有物形配置、幾何圖形、圖形設計、矩陣推理、圖畫補充、動物、常識、理解、算數、詞彙和句子測驗。這些測驗對原住民來說，有文化上的偏差（bias）。他們平時不曾接觸這些東西，沒有人教過他們顏色名字、形狀名稱，他們不曾看過矩陣，也不曾玩過積木，他們的表現慢不是笨，而是沒有機會接觸，他們的母語不是漢語，用漢語測驗對他們不利。

最主要的原因是原住民孩子怕羞，對陌生人不敢說話，如果是熟的人，他會爬到你身上跟你要機器人，還會說出型號，因為班上誰誰誰有一個，完全沒有語言上的困難。我想他們可能與施測者不熟，不肯作答，因而被認為智障。至於他們不認識注音符號，那是因為老師還沒教；「疑有寫字障礙」，那是因為他們還沒有教寫字。

幼稚園孩子手的小肌肉尚未發展完成，筆還握不穩，他們左右腦也還未側化完成，所以一般學者都不主張在幼稚園就教寫字。最近有個研究甚至發現晚一點上學（瑞典是七歲），對孩子未來身心健康比較好，因為發育較成熟後才學習，可減少挫折感。學得早，不如學得好。我了解醫師是好意，因為特教班人數少、資源多，政府還有補貼，但是我擔心的是孩子心靈的傷害，在學校中會被別人看不起，尤其孩子不懂事時，嘲笑的用語都很傷人。

曾經有個原住民青年下山去念師專，因為窮，被老師看不起，故意叫他去按鋼琴的中央C，他從不曾見過鋼琴，只知道有中央山脈，不知道有中央C。被老師嘲笑一頓後，自信心全失，走路都低著頭。一直到後來當兵時，因為他的聲音好，被指派去教軍歌，自信心才慢慢恢復。如果他家有錢，以他的音樂天賦，他可能是第二個帕華洛帝。

我們知道幾乎所有的智力測驗都有文化的偏差，一九一一年，美國用比奈智力測驗曾測出百分之八十三的猶太人、百分之八十的匈牙利人、百分之七十九的義大利人及百分之八十七的俄國人是心智耗弱者。現在我們知道他們不是，他們只是新移民，不熟悉美國文化，用不同文化背景的題目去測，他們全都變成了白癡。

我最擔心的是「污名化」、「智障」的標籤會讓孩子一輩子抬不起頭來。物質的資源不及心靈的自信，只要跟孩子生活一天，就知道他們絕對不是智障。我被蚊子叮了，他們會去採葉子，揉碎了塗上去，馬上不癢；他們會設陷阱捕田鼠給我吃。

他們沒有智障，只是生活環境與我們不同，我們不應該用都市漢人兒童的標準去測量他。

上幼稚園最重要的是學習生活的紀律及跟別人相處。至於注音符號及寫字，以後學的時間還很多。我很好奇，我們什麼時候把幼稚園變成一年級了呢？

2 OK繃與橡皮擦

學生缺乏感動，沒有感動就沒有自省，
沒有自省就沒有改進。

簡媜九歲的孩子跟隨父母去美國讀了一學期的書，人在初進陌生環境時，都會忐忑不安，但是老師給了他十二樣禮物，使他很快的進入狀況。簡媜感動之餘把它寫在她的書《老師的十二樣見面禮》（印刻出版）中，使別人可以借鏡。果然，台大中文系的李惠綿教授複製這個經驗給她學生，學生的反應很好。

台灣現在努力在推品德教育，但效果不彰，其中一個原因是學生缺乏感動，沒有感動就沒有自省，沒有自省就沒有改進。因此，我把這十二樣禮物列出來，或許他山之石可以攻錯，我們看一下別人如何教品德，或許我們教育部就不必花大錢去編公民課本，又要考，又要背，多一項折磨孩子的功課了。

第一樣是牙籤，挑出別人的長處（這一點就和台灣很不一樣了，台灣人用牙籤一定是挑出別人的短處）；第二樣是橡皮筋，能伸能縮，保持彈性；第三樣是OK繃，對生命中的挫折要視為常態；第四樣是鉛筆，寫下你的理想及願望，年終時把寫的拿出來看自己做到多少，有檢討才有進步；第五樣是橡皮擦，寫錯了擦掉再寫，犯錯沒關係，知錯能改就好；第六樣是口香糖，口香糖不能填飽肚子，但是在嚼時很愉快，無論什麼事都能在做中找到樂趣（這點也跟台灣很不一樣，台灣是什麼樂趣都能把它變成功課）；第七樣是棉花球，它帶給你溫暖；第八樣是巧克力，它在你沮喪時安慰你，提升你的情緒；第九樣是面紙，它擦乾你的和別人的眼淚；第十樣是一條金線，友情就像一條金線，把同學的心綁在一起；第十一樣是一枚銅板，你是有價值的，不要妄自菲薄；第十二樣是顆救生圈型的糖果，任何時候有困難都可以來找老師。

這十二樣東西是老師的教學理念和對孩子的期待，它讓我們看到如果用欣賞、寬容的眼光來看孩子，新來的學生很快會被同學接納，課堂上其樂融融。

在所有的小禮物中，第三樣OK繃對我們台灣的學生最重要，因為上學充滿挫折，我們特別要讓孩子看到挫折對生物的意義，使他不要自怨自艾。在自然界中，動物出來覓食沒有一帆風順的，找不到食物是本分，找得到是福分。挫折是大自然淘汰不適者的方式，若不能面對挫折，再接再厲，就只好被淘汰掉。如果受挫折是動物的常態就沒有什麼可抱怨的了。學習的關鍵是情緒與動機，心情沮喪時，學習效果一定不好。

還有一項對台灣學生來說也很重要的是橡皮擦。中國人不允許孩子犯錯，一錯就打，這種處罰不但傷了孩子的自尊心，也毀了他的自信心，更使孩子畏縮不敢嘗試新的東西。孔子不是說「人非聖賢，孰能無過」嗎？知過改正就好了，我們為何要求完美，為考卷上的一點點無心之「過」打罵小孩呢？

品德是從小自生活中一點一滴培養出來的，要有健康快樂的孩子，每天打、罵、嘲笑、羞辱，叫孩子像狗一樣趴在地上吃飯，用嘴把老師撕掉丟在地上的考卷撿起來是緣木求魚。這十二樣禮物值得我們大人好好檢討，我們究竟是用欣賞的眼光看待我們的孩子，還是用挑剔的眼光每天挑他的毛病。請不要再用「為他好」為藉口，「激將法」對自信心尚未建立的孩子來說是殘忍的行徑。鼓勵他，他會用笑容來回報你，他會努力不使你失望，你就達到教育他的目的了。

3 讓孩子學習贏得別人的信任

信任孩子，讓他學著幫你做事，你在一旁鼓勵。

在早期的西部片中，我們會看到父親離家時把兒子叫來，給他一把長槍，說：「兒子，你現在是一家之主了，保護你媽媽。」我們看到還不及槍高的孩子一邊抹眼淚，一邊對母親說：「媽，不要怕，有我在。」本來害怕爸爸出門壞人來了怎麼辦的孩子，在爸爸把長槍交給他後，突然變得勇敢了，因為父親信任他，把保衛家園的重責交給他，這個榮耀大過於哀傷。

我們也看到小學生被人欺負了，哭哭啼啼來找老師，老師安撫他說：「來，幫老師把這份公文送到教務處去。」小孩子立刻破涕為笑，高高興興的去了。為什麼呢？因為老師敢叫他做事，表示老師信任他，被人信任的感覺是最好的感覺，英國作家喬治・麥克唐納（George MacDonald, 1824-1905）說：「比被人愛更好的感覺就是被人信任。」的確，誠信是人格最基本的要求，是所有人際關係的基石，只是信任無法輕易取得，它是別人賦予的，必須靠自己去贏取。

要贏得別人的信任必須表裡如一，不能在A件事上可以信任，在B件事上不可信，因為信任不可分割，若是B件事讓別人不信任了，所有的信任將一筆勾銷，之前的努力即付諸流水，因為信任是品德的外顯，品德也是無法切割的。

那麼如何培養孩子的信任品德呢？最好的方法是先信任孩子，讓他學著幫你做事，你在一旁鼓勵。當然這會有風險，他可能會打翻湯、打破盤子、穿反衣服……不過一旦成功後，它會馬上建立孩子被信任的驕傲，這是孩子自重自愛的第一步：父母看得起我，把這件事交給我做，我一定不能讓父母失望。我們常低估了稱讚對孩子的作用，品德的培養不是用罵可以得到的，它是經由稱讚鼓勵，從內心發展而出的。

美國有一份研究發現孩子在家庭中，每十個負面評語才有一個是正面的稱讚，在學校則是每七個負面評語才有一個是正面的；我想這個情況在台灣可能更糟。研究者指出，每一句負面的評語，要四句正面的才能抵銷它對孩子心理的影響。既然「被信任」是這麼好的感覺，我們應該在日常生活中給孩子機會，讓他贏得我們的信任，以建立他健全的人格。

4 中文的文化之美

別讓孩子失去文化自信心，
誤以為外國的月亮比較圓。

因為研究的需求，我最近有接觸到大陸的論文。讀簡體字對我來說很不習慣，因為它失去了中國傳統正體字之美（我們的字不是繁體字，我們是正體字，不可因大陸叫簡體就誤以為自己是繁體），字簡化了雖然容易寫，但是相對的，辨識上卻比較困難，因為字的相似性提高了，如遠、過、邊、達、違，寫得快一點就不易辨識了。

最近去訪視一所大學，發現他們大一的學生英文是必修，國文卻是選修，令我很不解。第二語言是架在第一語言上頭的，母語學得愈好，學其他語言愈容易，因為它牽涉到基本的語言能力，沒有本不固而葉茂盛的，而且語言是學習的根本，它是一個工具，英文是國際語言固然沒錯，但是能用自己的語言與別人溝通在台灣還是更重要，畢竟每天用到的還是中文。我常想，我們在教孩子認字時，是否急著要成效而忽略了介紹中國文字之美，使得很多人不了解自己的東西有多少價值而棄之如敝屣。

我覺得中國字是藝術，非常的美，尤其看到董陽孜寫的大字，龍飛鳳舞，真是美極了。國光劇團曾演出一齣戲《快雪時晴》，有位外國朋友對我說，他看不太懂演什麼，但是做為舞台背景的王羲之「快雪時晴帖」的字他覺得好看極了，他問哪裡可以買到這個去做他家的壁紙。國科會的「數位典藏」計畫有把故宮的字畫用數位化的方式做成絲巾、領帶、手帕、桌布等販賣，非常搶手。我很遺憾自己小時候沒有下工夫，不會寫大字，但是我很幸運，有好老師教，使我領略到中國文字之美。

我的啟蒙老師是我的外公，他生在前清光緒年間，做過雲南的縣長，寫得一手漂亮蠅頭小楷，因為那是考科舉必備的。他教我認字時，不是用識字卡而是從字形來教，比如說，認識「心」這個字，他是一邊寫給我看，嘴裡一面念著「細雨灑輕舟，一點落舟前，一點落舟中，一點落舟後」，「心」不就是一葉扁舟，三個點圍繞著它嗎？這樣教的字，一教就會，永遠不會忘記，而且讓我體會到中文構字之美。

中國的燈謎其實是教文字極好的教材，它是從另外一個角度來看中國字，比方說「米」字，我外公說是「四個『不』字顛倒顛，四個『八』字緊相連，四個『人』字不相見，一個『十』字立中間」，它會令我們姐妹把字在腦海中拆來拆去的組合，凡是自己動過腦筋認出來的字都不容易忘記，而且會覺得認字很好玩。外公一睡完午覺起來，我們就圍著他，希望他再教我們一些。

外公已去世五十多年，但是他對我們說的「品字三個口，寧添一斗不添一口；鱻字三個魚，水清方見兩般魚；晶字三個日，常將有日思無日；鑫字三個金，一寸光陰一寸金」，都沒有忘掉，好像口訣一樣，很順口。又如「寸身言謝，謝天謝地謝高堂」、「十口心思，思國思民思社稷」，這些都是很容易就教會孩子字的結構，同時又讓孩子看到字和字之間的關係。

當大陸把字簡化，「陰」簡化為「阴」、「陽」簡化為「阳」時，就失去了倉頡造字的意義與文字的美了。或許，我們做父母、當老師的要反省一下，是否太急功近利，趕著計算孩子學會了多少字而沒有把自己文化的美傳遞出來，讓孩子失去文化自信心，誤以為外國的月亮比較圓？

5 沒有學太多大腦裝不下這回事

讓孩子利用假期讀自己喜歡的書，開拓視野、提昇境界。

快放寒假了，許多父母已在打聽哪些補習班最好，要讓孩子寒假中去補習；也有父母不贊成孩子學新的東西，怕新的會干擾舊的學習；甚至有媽媽說課外書不要看，她不要那些學測不考的東西佔滿大腦空間，使課本沒地方存。這些都是不對的觀念，有些東西是愈用愈多的。

我在美國上神經發展課時，有一天老師問我們：「你有一顆紅蘋果，別人用黃蘋果與你交換，現在你有幾顆蘋果？」我們異口同聲的回答：「一個。」老師又問：「你有一個實驗設計，別人用他的實驗設計和你交換，現在你有幾個實驗設計？」我們回答：「兩個。」老師說：「好，現在告訴我，當像金錢這種有形的東西愈用愈少時，什麼東西是愈用愈多？」我們恍然大悟的回答：「神經迴路。」因為只有腦裡的東西不會因使用而減少，大腦用得愈多，神經迴路的聯結愈密，與人交換意見愈多，思想愈周延，點子也愈多，愈能觸類旁通，舉一反三。所以，大腦是要用的，它不會因為你用了而減少，反而會像生利息一樣，愈用神經的密度愈多，思想愈靈活。因此，絕對沒有學了某些科目就把大腦空間佔滿了，使孩子不能學其他科目這回事。

大腦不會因為已經裝滿了就塞不進新的東西，它反而像隨身碟（CD-RW，可覆寫式光碟片），新檔可以把舊的蓋過去而不另多佔空間，你可以一直修正你的檔案。只要孩子願意學，父母可以盡量讓他自由發展。但是所有的學習都與動機或興趣有關，如果沒有興趣，孩子的確會對你說，讀不下了，頭要爆炸了，這時我們知道他已對同樣東西達到飽和點，應該立刻改換別的項目才會收到學習的效益。

至於嬰兒為何不能給予太多的刺激，否則反而有害，是因為嬰兒還沒有自主移動的能力，如果給予太多刺激就像把一個人綁在椅子上，強迫接受環境噪音一般，會痛苦不堪的。在這種情形下嬰兒通常會身體扭動，把頭轉開，哭叫抗議。因此，在孩子的教養上，適可而止是非常重要的。

童年時期最重要的是安全感，不是上補習班。跟在父母身邊，眼睛看到父母所看到的，耳朵聽到父母所說的，這些都是他長大以後在環境中用得到的訊息。他從小已經在做未來的預備了，這些活的知識對他以後EQ和IQ的發展會很有幫助。童年經過很多補習的父母自己可以靜下來想一想，當年這些補習是否必要？有多少是望子成龍的虛榮心？有多少是孩子真正需要的知識？其實大部分出社會所需用到的知識是補習補不來的，風度和教養就是最好的例子。

寒假為什麼應該還給孩子，還有一個很重要的理由：替孩子聚集人脈資源。童年時一起穿開襠褲的朋友是長大後最好的朋友，而人一生中非常需要好朋友的扶持，快樂的童年奠定後來樂觀進取的人生觀，有這種人生觀以後才可能成功。所以不要相信學太多以後新的裝不下這種迷思，學習的效果不在存了多少，而在如何應用手邊有的知識。

美國的電視節目《馬蓋先》就是個很好的例子，他很會就地取材來因應環境的需求，他學了很多東西但是他的大腦並沒有因此而爆滿，因為他的新知識都能與舊知識掛上鉤，好像前面說的光碟片一樣，相關的東西都組合在一起了，隨時可以靈活應用，這才是學習的真諦。

寒假應該是給孩子休息一下、喘口氣的時間，希望孩子能利用這個機會讀一些自己喜歡的書，開拓自己的視野，提昇自己的境界。

6 努力過的必在大腦留下痕跡

老狗絕對可以學新的把戲，
只是慢一些而已。

許多人都誤以為孩子小的時候記憶力好，須趁年幼時背書。其實這並沒有實驗證據，研究發現，同樣的單字，成人記的比孩子多，但是因為遺忘是同質性的干擾，成人的歷練多，就像一塊白板，寫了擦，擦了寫，白板已花花的，縱然沒有擦去，上面已斑斑剝落看不清了，而孩子的是全新的白板，字跡清楚。假如記憶一直到二十歲才走下坡，又何必趕在一時叫孩子背他還不懂的東西呢？

最近因為腦科學的進步，我們對學習的觀念有很大的改變，德國有兩個研究發現成人的大腦仍然能夠因為不斷的使用而改變大腦的結構。一個實驗是測試三十八名醫學院學生在醫師會考前、考試時和考試後，大腦皮質的改變，結果發現與記憶有關的大腦區塊因學習而增大。另一個實驗是訓練大學生拋接三個球，如馬戲班中小丑的表演，要練到一分鐘球不落地才及格，實驗者將同一受試者在實驗開始前、及格時及三個月後大腦影像放在一起比較，發現與做這個動作有關的大腦部位都有改變。

甚至過去認為是固定不能改變的工作記憶（working memory），最近都發現可以透過訓練而改變。這個實驗訓練成人做視覺—空間的瑞文氏測驗（Raven Test）五週，結果發現和工作記憶有關的前額葉和頂葉都有增大。大腦已經不是像過去認為的那樣定型了不能改變，而是終其一生，不停的因為外界環境而改變內在神經連結的方式與處理區塊的大小，連八十歲正常的老人都可以透過訓練增加記憶力。

最近二十年來，大腦知識的累積超過過去的總和，整個革新了我們對學習的看法，老狗絕對可以學新的把戲，只是慢一些而已，牠要用新的神經迴路去取代舊的，好像我們剛搬新家時，晚上回家一不留神會走回舊家去，要等到新家的神經迴路強過舊家的時，才不會走錯。

新的大腦知識對教育工作者是很大的鼓舞，因為我們看到了「教化」的神經機制，知道我們的努力一定會在孩子大腦留下痕跡，當學習無效時，老師知道是用的方法不對，而不必懷疑孩子的能力不強。

英國的ＢＢＣ曾經製作了一部很好的教育影片來解釋神經的連結，它說好似登山者要穿越峽谷，他先向對岸拋出綁著繩索的鋼錨，順著繩索爬過去，完成任務，第二次就不必這麼費事，走多了繩索就形成吊橋，通過的速度就加快了，下次再要提取這個記憶時，就可以不加思索的脫口而出了。這是為什麼英文有諺語「practice makes perfect」（熟能生巧）。

現在父母為難的是如何在「精」與「廣」中求取平衡，因為每天時間有限，不可能兩者兼得。廣本身代表著在不同的地方見到這個生字，體會到這個生字不同的用法，代表這個生字的提取線索有很多條，所以它是個比較好的學習方式。因此，在年輕的時候，廣比精來得重要，它能增加神經的連結。

大腦科學整個革了學習觀念的命，我們應該重新檢討我們的教學方式，把每個孩子都帶上來。

7 聯結、區辨與類化

沒有類化能力的人，不能變通也只能坐以待斃。

很多人一講到學習就面露痛苦之色，其實學習完全不必如此，因為這是一件我們無時無刻不在做的事情。很小的孩子看到閃電就會掩耳朵，因為知道雷聲要來了，十字路口的車輛在對方的綠燈轉黃時，就升火待發，預備衝鋒了，因為他知道黃燈之後，便是紅燈，而他自己的交通號誌就該變綠了。這些都是學習，透過「聯結」學來的反應行為，這個聯結就是最原始的學習，也是因果關係的奠定。

所有的教育家從孔子到亞里斯多德、柏拉圖，都在談聯結與學習的關係，但是真正在實驗室把聯結與學習的關係一層層剝繭抽絲分析出來則是俄國的巴夫洛夫

（Ivan Pavlov, 1849-1936），他在一九〇四年拿到諾貝爾生醫獎。

一個人的個性與他的研究多少有些關係，或是說，一個人的研究多少沾染上他個性的色彩。巴夫洛夫是個嚴謹的科學家，做事一絲不苟，人更是不苟言笑，他非常守時，按部就班，每天都按作息表行事。有一次他的助理遲到，他非常生氣，助理惶恐的向他解釋：「報告教授，外面正在革命，街頭有巷戰，我必須繞路，所以來晚了。」巴夫洛夫回答說：「下次有革命時，早一點從家中出發！」

因為他是這樣的按時作息，完全不受外界的干擾，所以他實驗室的狗也很快的學會了一個聯結，就是每天下午五點整，走廊的一頭會傳來腳步聲，走二十四步後，腳步聲停止，門會打開，主人會進來，食物會出現在盤子上。在餓了一天後，終於有飯可吃了，於是狗也像台北街頭的騎士，看到黃燈便升火待發，食物雖未進口，口水已經開始滴下來了。

巴夫洛夫注意到此一現象，立刻發現這是一個值得研究的議題，這點是很了不起的，常常很多人也注意到了現象，卻沒有足夠的知識和智慧去判斷它值不值得研究，重不重要。所以一九三三年諾貝爾物理獎得主薛丁格（Erwin Schrödinger,

1887-1961）說：「創造力最重要的，不是發現前人所未見的，而是在人人所見的現象裡想到前人所未想到的。」巴夫洛夫認為這個流口水的反射反應可以用來研究學習。他用一個本來不會引發流口水的鈴聲，與一個會引發流口水的肉塊聯結在一起出現，每一次鈴聲出現，肉塊就被倒到盤子裡，後來，狗只要聽見鈴聲，還沒有見到肉塊，牠就已經口水直流了。

那麼，鈴聲和肉塊要怎麼樣的配對效果最好呢：是同時出現，還是一前一後？實驗證明鈴聲在肉塊之前出現效果最好，鈴聲和肉塊同時出現效果比較不好，而肉先吃了再出現鈴聲效果最不好，這一點在教育上的意義重大。那麼，一前一後之間究竟應該間隔多久才好呢？一般來說間隔半秒是最好的，超過十秒就沒有效果了，運動會時，賽跑選手在聽到「各就各位」、「預備」後，若是裁判在半秒到四分之三秒內鳴槍，選手跑得最好，所謂「一鼓作氣，再而衰，三而竭」，太晚鳴槍會造成有的選手偷跑。這並非故意，而是他大腦已上好了發條，箭在弦上，當裁判的鳴槍不能配合大腦的預期時，就會產生不利成績的行為。

這種制約的行為在我們生活中其實常常看見，「望梅止渴」就是一個例子，士兵並未真的吃到梅子，但過去對於梅子是酸的聯結，使士兵在一想到梅子就酸得流口水，就止渴了。不過鈴聲和肉塊所引發的口水在質和量上其實是有不同的，真正肉塊吃到嘴裡時的口水量遠比聽到鈴聲時來得多，而且裡面充滿了消化酶，也就是說畫餅充飢只能騙得了一時，騙不了一世，若是鈴聲一直響，肉塊不下來，以後鈴聲響就不會再流口水了。

當然，光是靠配對聯結還不能達成學習的目的，我們還必須有類化和區辨的能力才行。所謂類化就是我們中國人講的舉一反三，凡是與這個刺激差不多、很相近的，就可以和原始的刺激做類比，不需學也就會。新的刺激與原始刺激愈不相像，反應就愈弱。

另一個學習的機制是區辨，這個現象在漢字的學習中最常見，「太」和「犬」差別只在點的位置，「玉」和「主」的差別也是一樣。「鳥」和「島」、「恩」和「思」的差別都只有一點點，國小的老師都知道，台灣小學生學習國語時最容易犯錯的就是這些地方。在學習中，類化和區辨一樣重要，一樣關係著我們的生存。一個沒有區辨力，誤把馮京作馬凉的人會把老虎當病貓，把毒菌當草菇吃，一定活不長；相對的一個沒有類化能力的人，不能變通也只能坐以待斃。

8 如何培養創造力

愈是在生活中有各種經驗的人，他的點子愈多，創造力愈強。

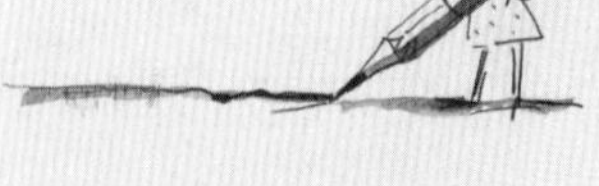

人是從眾的動物，美國詩人佛洛斯特（Robert Frost, 1874-1963）說：「在樹林中碰到分叉路時，他會選人跡少的那條路走。」這詩意境很高，但是在演化上，這是危險的，因為人跡少的路，雜草叢生，易藏毒蛇猛獸，落單而行，易喪命。南極的企鵝早上起來會成群結隊站在冰山上，不敢下水覓食，因為水中常有海豹、海豚、鯨等各種天敵等著吃牠們，但是假如有一隻企鵝率先跳下水（或是說，被推下水），那麼，其他的企鵝就會跟著跳下水。

「從眾」與「模仿」其實是演化出來利於生存的動物本性。因此假如有人能夠有膽，敢與眾不同，還能成氣候，成為領袖，那麼他就備受尊敬，會在歷史上留名。因為這種人不多，在所有文化中，有創造力的人都受到君王的禮遇，李白就敢叫唐明皇寵信的內侍高力士替他脫靴。文藝復興之後，有名的藝術家更是受到宮廷供養，衣食無憂。義大利某大公國的公爵夫人要請達文西作畫，他不肯，寧可把時間用在畫小商人之婦蒙娜麗莎，公爵夫人也拿他沒轍，因為這個創造力是深藏在創造者的腦海中，別人硬搶不得的。三國時，徐庶因老母為曹操所得，不得不歸曹營，但是他臨走時對劉備說「終身不設一謀」。腦海中的東西他不願拿出來時，別人是莫可奈何的。

也因為如此，過去認為創造力是可遇而不可求，是「尋找」有創造力的人，而不是「培養」人有創造力。

二十世紀後，因為交通發達，朝發夕至，世界成為地球村，人的從眾、模仿本性得到大大的發揮，這個現象在時尚界最顯著，一處流行低腰褲，所有人都露出股溝，不論這對她身分年齡合不合適。一個新產品出來，一週內，在地球另一端人口多、工資低國家的仿冒品也跟著上市，以低廉價格來競爭。因為被抄襲的機率大大增加，逼得原創者不得不推陳出新一直改良、一直精進。仿冒國也亟需創造人才，因為現在有智慧財產權法保護原創性，他得在產品上動些手腳，要改到超越智慧財產權法的限制才能逃脫制裁。在這種情況下，創造力是國家競爭的本錢，它的培養就變成國家教育的重點了。

這些國際貿易離我們似乎尚遠，一般老百姓在意的是生活上的創造力，我們希望我們的孩子在生活中碰到挫折、行不通時，能想出變通的方式，自己解決問題。鄉下孩子都知道，打尚未成熟的青檬果回家做情人果時，要用裙子去兜著裝回家，不然人只有兩隻手，拿不多。但是男生沒裙子怎麼辦呢？我就看到一個小一的男生把褲子脫下來，用褲管打成包袱，裝得與女生一樣多興高采烈地飛奔回家。（民以食為天，衣食足才知榮辱，對小一的男生來說，解決問題最重要，有沒有被人看到光屁股，不在他的考慮之內。）

研究發現愈是在生活中有各種經驗的人，他的點子愈多，創造力愈強。創造力很少出現在每天坐在桌子前面死讀書的學生身上。所以培養創造力必須：第一，讓學生走出教室，有外界實務的經驗；第二，要有廣泛的知識，如果學生沒有知識，不知甲可以替代乙，空走出教室也是枉然。

過去的孩子常從觀察父母親在生活中解決困難，而學會替代之道，愈是貧困的人家，變通的能力愈強。隋煬帝夜遊江南時，因黑夜無月而大怒，後宮十六院的夫人就用薄紗糊成宮燈，內放螢火蟲，漆黑的夜裡，一對對的螢火蟲宮燈煞是好看，使得隋煬帝龍心大悅。煬帝是個高生活品味的人，燃火把、點蠟燭都會產生煙，破壞了情調，那時還沒有無煙的手電筒，有個妃子腦筋動得快，想到螢火蟲，解決了問題，保住了很多人的頭顱。

所以培養教創造力首先應該教思考的方式，先把目標定出來，再想什麼東西可以達成這個目標。煬帝要無煙的發光東西，螢火蟲正好符合這個需要，就解決了問題。一百多年前白喉流行時，尼泊爾有個英國小女孩染上白喉不能呼吸，僕人棄之於荒野，各自逃命去。一位獵人看到，就用小刀把氣管切開一個小洞，用蘆葦的內莖插入，幫助她呼吸，救活了這個孩子。孩子的父母報恩，把他接到英國去，記者問他，如果沒有蘆葦你怎麼辦？他說：「我就射大雁，用牠羽毛中的管子來替代。」

這個獵人沒有上過學，但是他知道必須找個方式讓空氣進入這個孩子的肺，既然白喉封了喉，他得另尋出路，任何手邊有的東西，只要符合目標都可以派上用場。我們現在需要的，正是像這樣能夠隨機應變、自給自足的孩子。要達到這個目標，我們需要讓孩子廣泛的閱讀，增加他的背景知識，使他在尋找替代品上有較多的選擇。同時要讓孩子有各種不同的生活經驗，替他製造學以致用的機會，體會到知識的重要性。學以致用是一件很令人欣慰的事，它所能帶給孩子再學習、更上一層樓的動機，是沒有其他的獎勵比得上的。

目前台灣的教育有一大隱憂，就是產學脫節，孩子看不到他所學東西的用處，因此沒有強烈的學習動機。如何把課本與生活掛上鉤，讓學生覺得每過一日，我又長進了一些，在生活上又更獨立了一些，其實是比考多少分更重要。我們常背了很多歷史年代，卻不了解這些歷史事件對我們的影響。英國的孩子知道一五八八年西班牙無敵艦隊來襲，如果英國失敗，他們現在會是什麼樣子，整個歐洲又會是什麼樣子。我們的孩子卻不知道如果國父革命未成功，我們現在會是什麼光景，亡國奴又會是什麼滋味。

台灣的教育需要努力的地方太多了，政府做不到的，現在民間在做，非常多的有心人將資源帶到偏鄉及山地，更利用城鄉交流的方式打開孩子的眼界，讓他們看到未來的希望。台灣的政府過去一直是炒短線，為了選舉，要求各校提報教育績效，弄得基層老師為了應付上面要的報表，每天雞飛狗跳不能好好教學。其實現在政府最需要做的是縮短城鄉差距，不讓偏鄉兒童成為「二等公民」，把資源投在基礎教學上。根穩了，樹木才能屹立不倒，辦教育的人眼光要能放得遠，台灣才有希望。

第3篇

用欣賞的眼光看待學生

1 每個成功的人背後一定有個好老師

一個人只要敬業做好他的本分，社會就會不一樣。

有人說，每個成功的男人背後都有個女人，這次去參加山地國小的畢業典禮，我反而覺得每個成功的人背後一定有個好老師。

六月底，我去到南投縣濁水溪最上游的一個山地小學，看到國幼班的小朋友井然有序的列隊進來，在炎熱的夏天，安靜的坐在地上聽長官們冗長的演講而沒有不耐，當終於輪到他們上台領畢業證書時，十三位小朋友整齊地站成一排，拿著麥克風一人講一句話，感謝老師與校長的教誨，他們的表現不輸台北任何一所昂貴的幼稚園。

老師說她剛接這一班時，每天都在追學生，因為孩子平日在山裡跑慣了，不習慣坐在教室裡，抓回來一個又跑了一個，整天滿山找學生，只有在吃點心的時候會一個個都回來，還知道要先洗好手才有餅乾或包子吃。她就利用吃點心和午餐的機會慢慢教：教禮貌，教秩序，教紀律，教出我所看到的成果。山上的孩子很純樸，你對他好，他也一定對你好，她桌上每天都有獨角仙、蝌蚪、小蛇在等她的青睞，現在看到他們要畢業了，老師非常的不捨，默默地流眼淚。

我聽了很感動，要把一群天不怕地不怕的野孩子教成今天上台領獎的小紳士小淑女，所花的心血與辛勞真是旁人不能想像的。家長也看到了他們孩子的脫胎換骨，感恩之餘，合力織了一件原住民的衣服送給這位平地老師。

一個國家是否偉大不在於它疆域的大小，而在於國民的品德，而品德一定要自小培養起。品德除了是非正義觀念、禮貌風度，還包括紀律，一個沒有紀律的孩子是無法受教的，一個沒有紀律的孩子也不會有毅力，無法貫徹始終做完一件事。這次的畢業典禮令我深深感到天下無不可教的孩子，一個人一生只要碰到一個好老師就夠了。

有一次我去法務部演講，講完一位官員順路送我回家。在路上，他告訴我他是台西人，小時候好勇狠鬥，整天打架滋事，國中時碰到一位柔道國手的好老師，這位老師把這些精力無處發洩的孩子集中起來教他們柔道，鼓勵這些孩子上進，結果他考上警察學校，畢業後當上警察，從此人生不一樣。他說，若是沒有當年那位老師，現在的他應該和其他同學一樣，在牢裡蹲著。聽完他的話，好生感慨。

哈佛大學的研究已讓我們看到，連先天成分很重的「脾氣」都受到後天環境的影響，老師對我們又豈止是啟蒙而已呢？難怪古人說「天地君親師」。但是在現今社會，老師的地位就像我們的國力，一直往下滑，不再受尊重。我們常常忽略了老師的功勞，因為教育是潛移默化，它無法立竿見影，但是沒有老師就沒有今天的我們。在國會殿堂罵老師三字經的立法委員，他們只要低頭想一下，能有今天，老師的功勞不可沒。

最近一期的《天下雜誌》說得好，「讓改變看得見」，一個人只要敬業做好他的本分，社會就會不一樣。如果每個人都能像國幼班這位老師一樣，我們的國家就有救了。這位老師的偉大讓我一路帶著感動的心下山。

2 讓孩子養成自制自律的習慣

紀律必須從小培養，人都好逸惡勞，
若沒有規範，很容易鬆弛懶散。

在孩子所有必備的品格中，紀律應該最根本，也是最重要的。一個沒有紀律的孩子是無法受教的，就算他有很好的才能，人家也不敢重用他，因為「靠不住」。十二世紀的聖方濟（St. Francis Assisi, 1182-1226）說得好：「開始的時候，先做必須做的事，然後做可能完成的事，突然之間，你會發現自己正在做不可能的事。」做必須做的事便是紀律；有了紀律，就可以做可能完成之事；持之以恆，你就會發現自己正在做不可能的事了。

紀律必須從小培養，因為人都好逸惡勞，若是沒有規範，很容易就鬆弛懶散下去。因此學校上課排有課表，某個時間固定做某個事，讓孩子養成習慣，小學生上學其實就是學紀律。習慣是紀律的前身，有一首詩非常好，它說：

我和你形影不離
我是你最寶貴的資產，也是最沉重的負擔
我會把你推向成功或讓你毀滅
我隨時聽命於你
你所做的事一半不如交給我做
因為我可以做得更快、更正確、更有效率
我很容易指揮，只要對我態度堅決即可
那些偉大的人是我使他們偉大
那些失敗的人，也是我使他們失敗
我不是機器，但是我有機器的精準與人的智慧
你可以因我而受益，也會因我而受害

只要告訴我，你要我怎麼做
教育我、訓練我、引導我、獎勵我
我會自動自發的去做
我是你忠誠的僕人，隨時聽命於你
我是誰呢？
我的名字叫習慣……

這首詩一語道破習慣的養成來自堅決的態度，父母若是行為搖擺，今天這件事可做，明天又不可，孩子是學不會紀律的。在一本很好的親子教養書《媽媽是最初的老師》（天下文化出版）中，作者國中的女兒功課很多，明天要考試，向母親要求今天不要洗碗，母親說「不差這二十分鐘」斷然拒絕。這個母親堅決的態度使他的女兒知道該做的事就必須做，不可能逃避，因此學會了把握時間。當她很快做完必須做的事情後，突然發現她還有時間可以做自己喜歡的事，她參加了很多課外活動，在社團表現良好，被美國的名校選上，現在正在朝她理想的目標前進。

所以，讓孩子養成自制自律的習慣是邁向成功的第一步。

3 用欣賞的眼光看待學生

用欣賞的眼光看待別人，
別人也會用最大的成就報答你。

早些年曾與溫世仁先生的公子去了一趟中國的西北，親身感受到即使很困難的事只要努力去做，也有成功的機會。我看到溫世仁先生撒下「千鄉萬才」的種子已經開始發芽了。

中國的大西北，從飛機窗口望出去，除有雪水流過的山溝是綠色的，其餘都是裸露的地表，中國的西北嚴重缺水，老百姓生活困苦，青海省五百萬人口中，有一百萬是貧戶，即使在沒有什麼水的山溝中，稀稀疏疏也有人家住。想到中華民族吃苦耐勞的韌性，心中很是感慨，這麼勤勞的民族，上天卻不肯給一個吃得飽飯的環境，總是在顛沛流離之中，也了解了溫先生發願的苦心。下了飛機，我看到溫先生在大陸人民心目中的地位是這麼的崇高，雖然也有很多台商在大陸捐學校、蓋醫院，但是都比不上溫先生，因為他的付出是不求回報，他做好事是沒有交換條件的。

我們參觀了青海省湟中縣的職業技術學校，這所學校是溫先生「千鄉萬才」計劃補助的二十三所學校之一。溫先生認為一個人必須善用他的文化特色去和別人競爭，他希望透過學校教育農民，從改善家庭經濟來改善大西北的生活水準。

青藏高原當地藝術有三絕：唐卡、堆繡和酥油花。該校校長延請附近塔爾寺的喇嘛來教唐卡和堆繡，使學生有一技之長，學生再回家教他們的父母，在農忙之餘，可以做些手工補貼家用。他們平日在上國、英、數和電腦課之外，需學唐卡或堆繡。我們進入一間教室，看到男女學生埋頭做堆繡，聚精會神，一點聲音都沒有，後來才知道他們是聾啞生。隔壁教室在畫唐卡，學生用很細的毛筆沾了礦石磨出來的顏色畫著藏傳佛教的如來佛、十八羅漢及各種菩薩，畫的一點不輸西寧機場賣的。

我在學生作品展覽室看到一幅很精緻的菊花堆繡，栩栩如生，便問校長可不可以買，校長把製作的學生找來，他聽說有人要買他的作品，眼睛睜得老大，驚訝得說不出話來。我打開錢包，把所有的錢都掏出來買他的作品，他高興得不知如何是好，眼睛笑成一條線，臉上的表情好像說，我的作品有人要了，我可以養活自己和家人了。

我非常後悔沒有多帶些錢出來，每次出國我都盡量少帶錢，因為知道自己有弱點，常會抵不住誘惑去買漂亮但不實用的東西回來。五十歲以後，我就不再買東西，漂亮東西留給博物館收藏，要看時去博物館看，我的錢留下來做教育。這次我真的很後悔沒有多帶錢，因為買學生的作品是對學生最好的鼓勵，四百元人民幣在上海稍好一點的旅館連住一個晚上的錢都不夠，但是在這裡是一個學生兩個月的生活費。

走出校門時，看到牆上寫著「用欣賞的眼光看待學生，用尊敬的態度對待老師」，心中很感動。每個學生都有優點，用欣賞的眼光，我們會看到學生的長處，用挑剔的眼光，只會使學生覺得自己一無是處。有自信才會做出好成績，這所學校有這樣的教育理念，難怪他們學生的作品這麼優秀。

溫先生過世了，但是他留下了一個榜樣，「成功是增加自己的價值，成就是增加別人的價值。」他用無私的愛心增加了大西北人民的價值，因為他能用欣賞的眼光看待別人，別人也用最大的成就報答他。

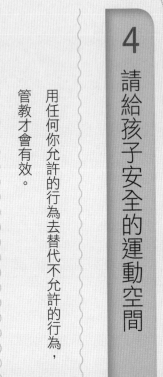

4 請給孩子安全的運動空間

用任何你允許的行為去替代不允許的行為，管教才會有效。

我曾在報上看到有國中學生去大漢溪戲水，不幸滑倒被水沖走，幾個同學怕回家挨罵，都不敢說，延誤救人五個小時，幸好警察知道後，趕快請石門水庫暫停洩洪，這個孩子命大，躲在橋墩水泥平台和溪床間的洞穴，未被湍急的大水沖走，逃過一劫。

看了這則報導我覺得很憂心，我們的家庭和學校教育都出了問題，才會一直發生這樣的事情。為什麼一群已經念到國三的孩子還不會分辨事情的重要性？同學溺水失蹤當然比回家挨罵重要，為什麼不會趕快報警求救？台灣的父母是怎麼樣的責打孩子，讓孩子連人命關天的大事都不敢說？更主要的是，我們的生命教育是怎麼教的？目睹同學落水，一群人會不出聲求救真是不可思議的事。同學的同理心呢？不是說「人溺己溺」嗎？怎麼拍拍屁股就回家睡大覺去了呢？

我們要好好檢討我們的教育了，不能整個國家從上到下，大家都把頭埋在沙裡做鴕鳥，眼不見為淨，每件事都要等到躲不過才出來承認，失去拯救的先機。

報上刊載，有位記者問這個墜溪一晝夜、死裡逃生的孩子：「下次還敢不敢去玩水？」儘管父母都在旁邊，他還是猛力點頭，看了令人心酸。孩子才剛剛九死一生從鬼門關前拉了回來，為什麼又敢立刻再去玩水呢？我想孩子喜歡做的事父母是禁不住的，台灣夏天熱，解暑最好的方式是戲水，孩子渾身是汗時，看到冰涼的溪水，能攔得住不叫他往水裡跳嗎？

這帶出一個重要問題：要防止意外發生不是單靠禁止，一定要給孩子一個安全的遊樂空間來取代危險的地方。台灣是海島，照說我們的孩子應該都要會游泳，但是全台灣的游泳池沒幾個，天氣炎熱時，叫孩子不要玩水，有用嗎？研究發現，有效的行為管教是當我們禁止孩子一種行為時，要給他一種我們允許的行為來替代，如果我們要禁止他去溪邊玩水，就請帶他去游泳池游泳，或去任何有救生員的海水浴場游泳，用任何你允許的行為去替代你不允許的行為，你的管教才會有效。

每年夏天都有溺水的悲劇發生，我真替台灣孩子覺得不值得，政府不是沒有錢，但是我們青少年可以去安全育樂的地方實在太少了。請問：你家附近有游泳池嗎？有體育館嗎？有可以讓孩子騎腳踏車的安全地方嗎？台灣現在憂鬱症很嚴重，為什麼不把錢用在蓋運動場上，一方面防止意外，一方面減少憂鬱症發生。

研究發現，運動可以增加大腦中多巴胺的分泌，多巴胺與我們正向的情緒有關，想一想，每次打完球你是否心情都愉快；唱完歌、跳完舞你臉上是否浮現笑容？給孩子一個安全的運動遊戲場所不但可以預防精神疾病，同時又給我們國民一個健強的體魄。瑞典的研究更發現，老人最好的運動是游泳，因為水有浮力不會拉傷筋腱，他們發現老人一天運動四十五分鐘可以防止阿茲海默症。

我不知道還要再溺死多少小孩，政府才會關心這件事。現在又要選舉了，家裡有孩子的父母請站出來，為我們的下一代及我們的上一代爭取一個安全的運動空間。

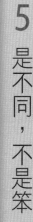

5 是不同，不是笨

觀念愈新，就像飛機愈新穎、設備愈好，
孩子的旅途會愈平穩、愈愉快。

在一場演講中，一位母親憂心忡忡的到講台前來問我，她的孩子學習的方式和別人不一樣，怎麼辦？

原來她女兒從小愛看書，更愛編故事講給別人聽，進了一年級以後，她會做算術，但是十進位的加減法一直出錯，母親發現孩子如果把數學題目變成故事，比如說：媽媽要炒菜，少了一根蔥，隔壁黃媽媽有三根蔥，你去向她借一根來給媽媽用，現在黃媽媽還有多少？這時女兒就會把三劃去，改成二，就做對了。加法也是一樣，把它變成故事，孩子就會記得進位。老師說她的孩子與別人不同，怕有問題，要她趕快想辦法。我聽了倒覺得不必太緊張，孩子喜歡編故事，就讓她編故事，一件事不是只有一個做法，條條大路通羅馬，只要到得了羅馬，都是可以走的路。

在啟蒙時，讓孩子用她最熟悉的方式切入是最有效的方式，重點是要先讓她對自己有信心，知道自己不是笨，只是做法不同於別人而已。而且現在才一年級，再過一年，成熟一點後，她就較能掌握抽象的概念，那時她就可以不用故事的幫忙，直接跳入四則運算了。每個孩子都是獨特的，父母不必著急。反而是我們一定要她和別人一樣，而她又做不到時，她會覺得自己笨，為什麼別人能做她不能做。天下最可悲的事莫過於才小學一年級就覺得自己不如人、人生是灰暗的。

我們以前的觀念是勤能補拙，沒有花時間找出孩子為什麼錯的原因，就出很多的練習題，讓孩子一直做。孩子是一直做，但是一直錯，到最後挫折多了，對自己沒有信心，也對學習沒有興趣了。孔子在三千年前說「因材施教」，每個人不一樣，不可用同樣的教學模子去套，更不可用同一標準去衡量學生，因為他們程度不同。我們要看的是孩子有沒有盡力，而不是他最後的分數。後段班是我們在教育上最沒有人性的一個措施，也是最傷孩子的一個名詞。

一位專門治療過動兒和學習障礙的小兒科醫師說過一個很好的比喻，他說：學校好像一個飛機場，學生猶如乘客，他們來自四面八方，有著各種不同的背景。學生進學校的目的就像乘客去搭飛機，要往他人生的目的地。每個人的旅程不相同，因此他們的飛行計畫也不同。有人頻頻轉機，繞了一圈才到終點，有人搭上直飛的班機，直接到達終點，這是個人的選擇。

學校只是提供孩子學習的地方，就像機場只是登機的地方，它負責提供安全的飛航，就像學校負責提供孩子好的師資、合理的課程、優良的學習環境。機場不能強迫客人登機，學校也無法強迫學生學習。一切都要心甘情願做，效果才會好，硬是打打罵罵的強迫乘客登機了，旅途也不會愉快；但是老師父母可以描繪終點的景色，使孩子嚮往，他會自動朝那個方向飛去。

我們如果能從欣賞的觀點來看孩子的學習，包容他的不同，他不會以跟別人不同為恥，我們的觀念愈新，就像飛機愈新穎、設備愈好，孩子的旅途會愈平穩、愈愉快。一路上，他會努力看窗外的奇山異水，欣賞到很多人間美景，使他不虛此行；如果我們用目前的方式，那麼他可能一登機就睡覺，一路睡到終點，渾渾噩噩的過一生。

6 讓孩子留下好的記憶迴路

師長要要以身作則，
讓孩子從觀察中留下好的記憶迴路。

我們常在許多成語中看到古人的智慧，但是直到最近才知道它實用的原因。例如現在可在大腦裡看見「殺雞儆猴」的恐嚇效果；過去老師教學生在上台演出前，先在心中把等一會演奏的過程想一遍，現在在大腦中也看到想像可以活化與實做同樣的神經迴路。

殺雞儆猴的實驗是先讓受試者坐在電腦前面，當螢幕出現一個訊號時，就有微電流電擊受試者的手，這電流不大，像冬天在有地毯的房間走路所產生的靜電電擊。實驗者在電擊時掃瞄受試者大腦，發現大腦中負責憤怒、恐懼等負面情緒中心的杏仁核活化起來了。實驗者然後讓他觀察別人被電擊，同時掃瞄他的大腦，發現他的杏仁核同樣活化起來了，他自己並沒有遭電擊，但是他看到別人被電擊時，他大腦杏仁核不但活化起來，而且強度與自己被電擊時一模一樣。所以殺雞給猴子看時，猴子知道如果不聽話，下場也會一樣，就乖乖服從指令了。

過去，我們常看到在課堂中，老師懲罰一個學生時，其他學生都低著頭不敢出聲。現在我們知道他們大腦中的恐懼感與老師打罵自己一樣，難怪美國學校講究教室氣氛，老師不在課堂中罵人，他們把管教孩子的責任交予校長，因為一方面老師只有一張嘴，不能同時做兩件事，罵了這個學生，就耽誤了別的學生的受教權；另一方面，老師一動怒，課堂氣氛不好，人在恐懼時是學不進東西的，從猴子實驗知道，持續的憂傷恐懼會殺死掌管記憶的海馬迴細胞。台灣的孩子大都視上學為畏途，而且愈打罵成績愈不好，這或許是原因之一。

至於想像力的效力，這個實驗是用幻肢疼痛的病人做的，所謂幻肢疼痛是病人肢體被截後，被截去的肢體仍然作痛，而且會痛到流冷汗。過去對這種皮之不存、毛將焉附的情況很不能了解，現在透過大腦造影，知道那是被截肢體神經記憶仍然存在的關係，要去除不存在的疼痛，必須先消除心中那個肢體原來的疼痛記憶。

這個實驗叫病人在大腦裡想像移動他會痛的手，但是並沒有真的動它，然後請病人看一些手的圖片，要儘快的判斷各種不同姿勢的手是左手還是右手，每次做十五分鐘，一天三次，另外在一個無頂的方盒中間用一面鏡子把盒子隔成兩半，請病人把好的手伸入盒中，動他好的手，因為鏡子的關係，病人以為他看到的是已經截肢的手，現在正活動自如，一點都不會痛。十二週後，病人幻肢的痛減輕很多，有一半人甚至疼痛整個消失了。

「想像」竟然可以活化大腦實際做那個行為的部位，真是很神奇，難怪古人說「有志者事竟成」，也祝賀人家「心想事成」。原來「心想」真的有移山倒海的功能，把大腦內神經連接改變了。

看到我們的大腦是「凡走過必留下痕跡」，我們做師長的要避免言行不小心傷害到孩子，更要以身作則，讓孩子從觀察中留下好的記憶迴路。其實，這不正是「效法先賢」的神經機制嗎？政府現在在推品格教育，或許鼓勵孩子多讀偉人傳記對他品格培養會有益處。

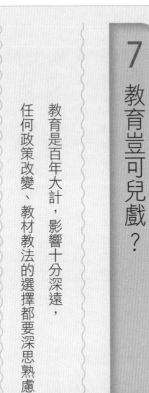

7 教育豈可兒戲？

教育是百年大計，影響十分深遠，
任何政策改變、教材教法的選擇都要深思熟慮。

一位美國朋友寫電子郵件告訴我一件奇事：她去漢堡王買一個漢堡果腹，店員告訴她一．五八美元，她先掏出兩美元遞過去，隨即看到皮包裡有八分錢，心想零錢太多，皮包很重，就把八分錢也給了店員。想不到那個店員拿到八分錢後竟不知道該怎麼辦，站在那裡發呆。朋友發現店員的窘況，就告訴她：「只要找我五毛錢就好了。」但是她仍然聽不懂，就去把經理找過來。

只見可憐的經理大費口舌對她解釋：「一個漢堡一塊五毛八，本來應該找四毛二，但是客人拿了八分來，所以要找五毛給客人。」朋友是老師，就插嘴說：「比較簡單的方法是一個漢堡一塊五毛八，我給了八分，等於漢堡只要一塊五，既然我給了兩元，所以應該找我五毛。」想不到兩個解釋店員都聽不懂，情急之下乾脆哭了起來。

在回家路上，我的朋友想，美國數學改了這麼久，為什麼愈改愈糟，所以她把五十年來美國數學教科書的改變列出，我覺得非常有趣，把它翻譯如下，說不定他山之石可以攻錯。

一九五〇年代數學的題目是：一個伐木者賣了一卡車的木材給建商，拿到一百元，如果他的成本是賣價的五分之四，請問他的利潤是多少？

一九六〇年代：一個伐木者賣了一卡車的木材給建商，拿到一百元，如果他的成本是賣價的五分之四，即八十元，請問他的利潤是多少？

一九七〇年代：一個伐木者賣了一卡車的木材給建商，拿到一百元，他的成本是八十元，請問他有賺到錢嗎？

一九八〇年代：一個伐木者賣了一卡車的木材給建商，他的成本是八十元，利潤是二十元，你的功課是把二十元下面畫一條線。

一九九〇年代：一個自私的伐木者砍伐人類共有的美麗森林，不在乎動物棲息的生態，也不保育我們的樹林，他這樣做只是因為他可以賺二十元，你認為他這種謀生的方式如何？下面是全班在回答問題後的討論題目，在伐木工人砍掉鳥類和松鼠的家後，你認為它們的心情會如何？（這題沒有對和錯，假如你覺得想哭，沒有關係，盡情哭吧！）

二〇〇〇年代：題目和一九五〇年代一樣，但用的是西班牙文。

這當然是諷刺教育的遊戲文字，但是從中可以看到社會主流思想如何改變教育方針。

教育是百年大計，它的影響是十分深遠的，任何政策的改變、任何教材教法的選擇都要深思熟慮，應該先經由「以數據為基礎」（data-based）的討論，再經過實做的驗證（experimental verified）才可以制定成政策去執行。美國在六〇年代以後，因為越戰的關係，傳統價值觀崩潰，反映在對學生的要求上，結果造成上述的現象。

台灣近年來，傳統的價值觀也逐漸失去，過去很嚴肅的教育議題現在也不再當一回事，高興起來公布全國施行十二年國教，完全不管配套措施在哪裡；或是看到學生英文不行，就下令要會講八個英文笑話、唱八首英文歌才准畢業，給人把教育當兒戲的感覺。在韓戰時，美國為什麼這麼害怕中共的「洗腦」，在冷戰時，俄國為什麼花那麼多錢研究心靈感應（psychic）及潛意識思想的改變，都是因為看到要改變一個人必須改變他的思想。紅衛兵及恐怖分子就是思想改造成功的例子，他們的行為令我們正常人不寒而慄，因為在偏激的思想下，他們已經不是人，而是執行首腦命令的工具了。

美國第三任總統傑佛遜（Thomas Jefferson, 1743-1826）說：「糾正體制濫權最有效的法寶是使人人可以受教育。」受了教育才有思想，有思想才是自己的主人，教育這麼嚴重的大事豈可玩笑置之？

8 我們學生的競爭力在哪裡？

培育可以競爭的人才，且願意為國家效力，
是教育部最重要的責任。

聯合國的一個國際科學委員會（ICSU）曾經來台灣開會，委員從北歐到南非都有，每個人都是各自領域中的大師，包括二〇〇二年諾貝爾生醫獎的得主。在招待他們時，我注意到他們非常在乎人才的選拔，每到一個國家就去該國最好的大學演講，看研究生中有沒有優秀的，如果有，就立刻給他最好的條件，吸引他到自己的實驗室工作，積極的作風甚至可以用「搶人」來形容。他們以其實驗室的名氣來吸引優秀的學生，這些好學生成名後又增加他們實驗室的名氣，很像我高中畢業紀念冊上寫的「現在我因您而榮耀，將來我將榮耀您」。吸引人才不但靠獎學金，還要靠名氣，難怪好的學校愈來愈好。

我在細聽他們講述選拔人才的方法時，很驚訝竟然與我小時候讀諸葛亮的〈知人篇〉原則很相似，例如「醉之以酒而觀其性，臨之以利而觀其廉，期之以事而觀其信」，原來外國一樣有考核學生品性的竅門，並不是收進實驗室就一樣栽培。我自己常用的是「告之以難而觀其勇」，看看會不會有毅力堅持下去，以及「窮之以詞而觀其變」，看看會不會活用知識，隨機應變。我父親常用的是「治之以謀而觀其識」，父親喜歡胸有城府的人。細細想來，古今中外知人善任的原則都是一致的，真理果然是放諸四海皆準。

那天晚上回家時，我心裡很高興，身為中國人，祖先留給我們這麼多的智慧財產，我們雖然沒有辦法像他們一樣有這麼好的機會周遊列國來累積經驗，但一樣懂得篩選人才。那天最大的收穫是聽到這些大師說他們怎麼決定接班人，因為他們都是六、七十歲的人了，辛苦一生，成立了世界級的實驗室，怎麼找到接棒者，使自己的實驗室可以繼續發揚光大，真是很重要的事。我注意到他們都把品德放在第一位，也就是諸葛亮說的「問之以是非而觀其志」，領導人必須有遠大志向、正確價值觀及公平的心。

他們在談心目中接班人的人格特質時，令我想起最近看的一本好書《牧者的管理智慧》（*The Way of the Shepherd*，中譯本足智文化出版）。這本書把領導者比做牧羊人，常要登高遠眺看哪裡有綠草如茵的草場，因為大多數的羊都是低頭吃草，看不見牠眼前十五碼的地方。同時，牧羊人還得不停的找更嫩、更綠的草場，不然羊群就會因為競爭資源而內鬥受傷；羊受傷了，蒼蠅就會在牠身上下蛋，會長蛆。所以領導者的責任不但要能看得遠，還要能找資源、把餅做大，使人人吃得飽。

至於牧羊者手上為什麼都拿著一根手杖，那是他得隨時把逾越的羊拉回來。約束和規範也是領導者的責任。那天晚上的時光過得非常快，一直談到餐廳打烊。或許那晚的陳年紹興太醇了，他們每個人都暢所欲言，使我學到很多東西。

二十一世紀的財富在腦力，人才是這個世紀競爭的本錢。如何培育可以和別人競爭的人才，並且願意留下來為自己的國家效力，實在是教育部最重要的責任。楚材晉用對楚是損失；考上台大，卻捨台大而念北大，更是警訊。看到人民的血汗錢沒有用在提昇競爭力上，反而花在做標語、做小旗子上，真是覺得痛心。

二十一世紀已走了十八個年頭，我們的教育官員在挖鼻孔、查人家骨灰罈上寫什麼之餘，能花點時間來看看我們學生的競爭力在哪裡嗎？

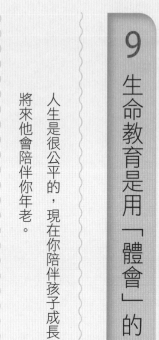

9 生命教育是用「體會」的

人生是很公平的，現在你陪伴孩子成長，將來他會陪伴你年老。

我去一所小學演講，經過音樂教室前，看到一個孩子伸著兩隻穿著襪子的腳，坐在教室門口哭，我正想問他為什麼哭時，老師一把拉住我說：「不要幫他穿鞋子，開學已經六週了，每次上音樂課，他都要老師幫他穿鞋子，已經三年級了，還不肯自己學著穿，每次都哭到有人替他穿為止，我們現在決定訓練他自己穿。他要自己肯學，別人教他才有用。」

我聽了非常訝異，怎麼三年級了還不會穿鞋子？父母會不會保護過頭了？老師說現在孩子成熟得慢，有進了小學還不會拿筷子的孩子，也有不會扣扣子的等等，令人想到英國的查理王子，連牙膏都要侍從替他擠。有人認為這是福氣，什麼事都有人做得好好的，自己不必動手；我卻認為這是看不起自己，把自己當廢物看待，侍從一不在，自己就不能生活了。

無獨有偶，回到家打開報紙，看到嘉義有位老師，讀者投書「小小晉惠帝，你我是幫凶」，原來這位老師在班上讓學生看一部電影《跑吧！孩子》，講一對小兄妹沒有錢買鞋子，輪流穿一雙鞋，有一天鞋子不見了，引出一串風波的故事。演完後，老師問學生的感想，學生說鞋子不見了，再買一雙就好，幹嘛這麼辛苦，大費周章呢？電影中，小女孩的母親要臨盆了，她趕著去鄰村請產婆，跑到一半，鞋子壞掉，她只好光著腳跑過滿是碎玻璃和尖石頭的路，滿腳鮮血淋漓，我們的學生完全不能了解為什麼小女孩不顧自己的痛，還要繼續跑，七嘴八舌在批評她不會想別的方法，沒有想到她的母親正躺在床上等她去求救。

建國中學有位專門帶數理資優班的老師，在他寫的書《我的資優班》（寶瓶文化出版）中，也提到颱風時，豪雨引起土石流，把山地一個村莊給埋掉了。他在感嘆生命無常時，一個學生說：「活該，誰叫他們要住那裡，幹麼不搬下來到安全的地方住！」一句話令人馬上想到晉惠帝及法國大革命時的皇后瑪莉・安東尼（Marie Antoinette, 1755-1793）。我們的教育怎麼了？怎麼連第一流學校資優班的學生思想都如此幼稚？他們難道以為每個人都像他們一樣要什麼有什麼，吃好的，用好的，暑假去美國、加拿大遊學？

這種飽漢不知餓漢飢的反應，使我想起桃芝颱風來襲時，尖石鄉居民用直升機撤離，一位國小校長向某慈善基金會要求緊急安置款，該基金會竟然要校長先寫計劃書送過來，等他們看了再決定，遠水救不了近火，令人感嘆。坐在冷氣房中的人完全無法體會無家可歸的緊急性。台灣人的同理心，不但學生沒有，連大人也沒有。難怪政府官員的思考模式與決策都是如此自我中心，完全不知民間疾苦。他們大筆一揮「封山」，立刻斷掉梨山農民的生路，成堆的高麗菜爛在田裡，有車沒路可以運下山賣。孩子因此無錢繳學費，還得翻過中央山脈到宜蘭去上學，咫尺變成天涯。

看起來，我們真的是如嘉義那位老師所說的，都是幫凶。我們沒有讓孩子去體驗課本以外的生活，沒有給他們機會去感受別人的苦難。歐洲有一所盲啞學校的校長規定，新進老師必須綁上眼罩一週，連睡覺都不可拿下，切實體驗盲人的感覺。校長說老師若不能體驗學生的狀況，便無法產生同理心，就無法拉近師生距離，便不會有好的教學效果。這位校長真是對極了，因為老師在綁上眼罩不見天日後，立刻體會到盲童的辛苦，不再責怪他們動作太慢，不耐煩的催他們快點。

台灣近年來自殺率一直居高不下，加上一連串的學童惡作劇，如將剪刀放在同學的椅子上，把同學的直腸戳破；把柳丁當球從二樓擲下，打瞎同學的眼睛等，這些無知所造成受害者不可逆轉的身心傷害，終於使政府看到生命教育的重要性，開始推動生命教育。但推行的方法仍然是課堂授課，由政府出錢編寫生命教育的課本，再擠壓原有的上課時數來「教」生命教育。

其實生命教育不是用「教」的，它是用「體會」的，考它、背它是緣木求魚，徒勞無功。老師只要不出一大堆家庭作業，使孩子有時間注意課本以外的生活情形，週末再安排孩子去孤兒院、老人院服務，從實做中體驗生命的意義，就可以大幅改善孩子的同理心。父母本身也要改變「萬般皆下品，唯有讀書高」的心態，不要一味追求高分，讓孩子誤以為只有讀書是重要的，其餘都不屑一顧。其實在現在多元化的社會，行行出狀元，能力比學歷重要得多。

「不要輸在跑點上」是句恐嚇的話，恐嚇父母如果不送孩子去補習，就會輸給別人。童年是人格成長、品德塑造最重要的時候，許多父母為了不輸在起跑點上，把孩子的童年犧牲掉了，真是可惡又可悲。

教養孩子沒有撇步，也沒有捷徑，父母最知道自己孩子的長處與習性，所以不要管別人怎麼補，安心的把孩子留在身邊，學習課本以外的人生知識。每個孩子都不同，天下沒有放諸四海皆準的教養手冊，只要孩子每天迫不及待睜開眼睛，想趕快開始他的一天，你就做對了。

人生是很公平的，現在你陪伴孩子成長，將來他會陪伴你年老。

10 讓孩子有榜樣可以效法

我們必須從文化做起，
找回中國傳統的立國之道。

我父親喜歡喝茶，他泡了好茶時，常叫我去喝一口，教我辨別茶的好壞。看到父親喝茶時怡然自得的樣子，使我從小就對茶葉產生好感，出國二十多年，別人喝咖啡、我喝茶，喝的都是台灣的茶，因為台灣烘焙的技術，全世界第一。

小學有戶外教學時，我常建議他們去看茶農製茶，同樣原料，技術不同，竟然可以製出完全不同的茶來，這是獨門絕技。我要小朋友了解，台灣雖小，原料不夠，但是我們可以技術取勝，不必妄自菲薄。但是我們在培養第一流的技術時，要不忘記培養一流的品德，「童叟無欺」生意才會做得長久。很不幸，現在社會炒短線的惡風已經影響到純樸的農民了。

有一天，我泡了一杯好茶、翻開一本好書，正在享受時，突然覺得味道好像和以前不太一樣，我再泡一杯，確定了它與以前喝的不同。但我是從同一茶罐中取出來泡的，沒有理由前後不一致，尤其這罐茶是我親眼看老闆從大麻袋中抓茶葉出來裝罐，而這麻袋的茶葉正是我試喝過，覺得非常滿意的。

這問題一直困擾著我，我們的大腦對不合理的事情會一直想，思考各種可能的解釋，直到把它合理化為止。這是大腦左前額葉的特質。很多人用自殺來懲罰活著的人，因為他知道人們會一直想著他為什麼自殺，而這會折磨活著的人。很多國家也以此保護消費者，允許人們在某個期限之內退貨，因為人易受環境的蠱惑，但是一安靜下來，外界誘因去除後，大腦會把剛發生的事在腦海裡重複，最後不妥的地方會浮現，我們就知道上當了。這也是演化保護我們的地方，讓我們在衝動之下做的事，第二天來得及補救，諺語「騙得了一時，騙不了一世」就是這個意思。

因為找不出原因是件痛苦的事，因此，我就去問一位很懂茶的朋友。他聽了哈哈大笑說：「賣者的手快過你的眼睛，他抓東邊的茶泡給你喝，抓西邊的茶放入你的罐子中，同一麻袋裝有兩種茶，不是內行人不會注意到的。」我聽了很難過，做人誠信第一，為什麼這個人要為了一點點差價，出賣他的人格？人格在台灣為什麼這麼不值錢呢？

最近中秋節有人送我文旦，還打電話告訴我是真正的麻豆文旦，我滿懷期待的打開紙箱，九個文旦中有兩個不一樣，肉比較粗、籽比較多，這次不用問，我已經明白了。

余秋雨在他的《人生風景》（時報出版）中講到一個故事：民國初年，郵政不發達，對外通信主要靠一種特殊的職業：信客。這種人來往鄉間、都市，將家鄉的事告知在城裡謀生的男人，把男人賺的錢帶回鄉下養活家人。有一天村裡一戶人家要嫁女兒，在城裡工作的父親便託信客帶了兩匹紅綢作嫁妝，信客正好要給遠方的親戚送禮，就裁下窄窄一條紅綢紮禮品，圖個喜氣。不料這個父親又托另一人帶口信，說紅綢兩頭畫有小圓圈，叫家人檢查看看。結果他裁下一小段布頭的事立即傳遍鄉野，凡是託過他帶東西的人，都懷疑他以前帶來的東西斤兩不足。這個信客無法申辯，滿腔淒傷，拿起裁紅綢的剪刀把自己的手裁了，他說「信客、信客，只在一個信字」，從此離開村子，消失無蹤。

這個故事看得我非常難過，在「情」上，他情有可原；在「理」上，他說不過去。信用是一個人最大的資產，大仲馬在《基度山恩仇記》中說：「只有血才洗得掉名譽上的污點。」古人說：人無信不立；今人說：名譽是人的第二生命。我想不透，為什麼會有人為了一點錢犧牲自己最重要的東西？

唯一的解釋是這社會已經不看重「信」了，無信之人一樣能在社會上立足，官還可以愈做愈大，不會像信客一樣被迫消失，所以「信」字的「人言」就變成「人為了達到目的所講的話」，就沒有任何意義了。我小時候聽「趙匡胤千里送京娘」的故事，大人告訴我們：因為趙匡胤有義氣、講信用，天下人服他，所以後來做了皇帝。成語故事也中有「季札掛劍」一諾千金的故事，吳國的公子季札不因朋友已死就不把原來要給他的劍收回，他出完任務回國時，將寶劍掛在朋友的墓旁。

小時候聽這種故事很感動，因為小孩子會想到人已死了，躺在墳墓裡，這把寶劍怎麼用得到？掛在墓旁的樹上豈不是被別人拿去了？父親說：「講信用最終是對自己的良心，一個人如果不講信用，會被自己看不起，季札掛劍是他實現自己的諾言，劍被誰拿去，不在他的考慮之內。」父親想一想又說：「你認為季札的人格不值得一把寶劍嗎？」有信用的人把自己看得很高，不認為一把寶劍或一點金錢值得把自己的人格賣掉。以前的教育不發達，但是透過民間故事、戲曲、說書，忠孝節義這種做人的基本道理深入人心，「信」一直是中國社會所崇尚的。

但是現在放眼望去，社會上盡是不講信用、信口開河的大官，又因為政令有意無意的去中國化，減少了經典與成語的教學，不推行用成語，小學生失去從歷史故事中學習古人做人之道。沒有今人做榜樣，又不知古人的風範，就變成現在社會不知恥的現象了。

余秋雨說：「文化的最終成果是人格，集體文化的最終成果是集體人格。」我們不能再用政治打壓來為目前台灣社會的亂象做藉口，多年來政客說謊臉不紅、氣不喘而沒有受到制裁已經使「不誠實」成為社會的文化，反映在我們民族人格上了。一個國家的強弱不在他疆域的大小，而在國民的品質，一葉可以知秋，我們必須從文化做起，找回中國傳統的立國之道。

11 學會自理能力才是孩子學習的基礎

父母只要言行一致，孩子就不難教，教養的法則必須全家一致。

上個月，因安排瑞士巴賽爾交響樂團的志工來台教學之事，去了一趟歐洲，參觀了德國和瑞士的幼兒園，對他們的幼教理念很認同，回來後，一直想把這個精神宣揚出去，這二天，正巧接到野人出版社的《德國幼兒園原來這樣教》，一讀之下，喜出望外，我不必寫了，這本書已完整的說出了德國的理念。作者為台灣的幼兒園老師，嫁到德國後，又在德國作了三年的老師，所以對德國幼兒園的情況很了解，她把台灣和德國對幼教的看法作了個比對，一針見血的指出差異，他山之石可以攻錯，值得我們反思。

遊戲本是孩子的天職，所以德國幼兒園沒有安排功課，更不要說回家的作業，他們認為讓孩子快樂的過每一天，享受不同學習所帶來的樂趣是幼教老師第一使命。孩子天性是熱愛學習的，只需依其意願引導即可，因為學習本身就是最大的犒賞。快樂的孩子不一定學的最快，但可能是後來學的最好的一個。

台灣喜歡設計活動讓孩子參與，著重在編教案上。因為急功近利馬上要看成效，沒有給孩子內化學習熱情的時間和空間，所以學習效果不好。書中有個移民媽媽跟台灣媽媽很像，很在乎她女兒學了多少，既然園裡不教，她便在家中自己教孩子顏色和數字，但孩子總是記不住。老師後來發現這孩子變得畏縮、呆板，跟以前不一樣了，一問之下，原來母親對孩子的期待形成她的壓力，使她不想再學習。

其實孩子有一生的時間去學顏色和數字，如果現在因為外在的壓力而逃避學習，以後就很難扭轉學習的態度。台灣很多孩子在幼兒園時並沒有怕數字，為什麼一進小學，看到數字就想逃呢？因為我們期待他有「表現」，表現不好壓力就來，幾次以後，趨吉避凶的本能就使孩子看到數字就緊張，不想學了。

德國的教育者知道孩子出社會所要用到的知識還未發明，所以他們不急著教知識，但自理生活的能力卻是每一個人必得會的。所以在幼兒園中，他們要求孩子自己學著做，哪怕一條褲子要三十分鐘才穿得上，也沒關係，一回生，二回熟，熟就能生巧了。書中有個二歲的孩子，費盡九牛二虎之力把褲子穿上了，很得意去給老師看。老師一看，穿反了，拉鍊在後面。但是老師並沒有叫他脫下重新穿，任由他穿著反著的褲子跑來跑去。因為一叫他重來，他的熱情被澆熄，下次就不肯再試了。結果有一天，老師突然發現，他這次穿對了，並且從此沒有再穿反過。

這個例子使我想起台灣的橡皮擦媽媽，喜歡把孩子辛辛苦苦寫好的國字擦掉，只因為溢出格子或寫的不好看。沒有想到這會澆熄孩子學習的熱忱。難怪有個小女孩跟她媽媽哭說：「我已經寫了三遍，都被你擦掉，我不寫了，你擦掉的，你自己寫上去。」過度或過早的提出糾正會使孩子覺得我「總是做不好」，就失去學習的動機了，教學不可急，水到渠成。

若孩子耍賴時，怎麼辦？書中有個孩子鬧脾氣，不肯自己穿鞋子去公園玩。老師一再催促他都不理，於是老師下了最後通牒，一分鐘後再沒穿好鞋子，那麼大家就出發，他會留下來。當孩子看到老師是玩真的，大家都走了時，大哭著，趕快把鞋穿上追出去，但來不及了，隊伍已走遠了。一次以後，這孩子便不敢耍賴，而別人看到老師令出必行，也不敢以身試法了。

父母只要言行一致，孩子就不難教，教養的法則必須全家一致，不能一個扮黑臉一個扮白臉。當孩子哭鬧時，不要理他，因為過度的安撫和斥責只會延長孩子負面的情緒。父母可以等孩子哭完了，情緒恢復冷靜了，再跟他談道理。重點是父母不可以妥協，教養的原則絕不退讓。

作者說：德國人認為在幼兒期不停的灌輸大量的知識是沒有意義的，所有強學強記的知識不僅最後可能忘得一乾二淨，而且會破壞學習的熱情。老師要教孩子基本的生活自理能力，使他們不成為社會的負擔，但不強迫他去學任何他不想學的東西，因為只要有學習的動機，他有一輩子的時光去充實自己，不急著一朝一夕。

遊戲是孩子的天職，請不要怕他輸在起跑點上，剝奪了他天賦的權利。

第4篇

要會思考，不是會考試

1 一位好老師的典型

學生必須從前人的錯誤汲取教訓，才不會重蹈覆轍，教育才算成功。

日前到美國開會，碰到綽號叫「聖人」的研究所同學，因為當別人在聊棒球或八卦時，他在讀大英百科全書，故有此綽號。他現已退休，在高中做歷史課義工，他說現代學生不喜歡閱讀，尤其不喜歡看歷史方面的書，令他很憂心，所以出來做義工，誘導孩子讀歷史書。他認為歷史是教育中最重要的一環，人性是不變的，千百年來，人們的行為一直重複出現，他叫學生去圖書館讀三十年前的舊報紙，讓他們親身體會到這一點。他認為學生必須能從前人的錯誤中汲取教訓，才不會重蹈覆轍，教育才算成功。他以前喜歡讀大英百科全書，就是因裡面有很多歷史故事。

他說教歷史要先從人物著手，因為人是喜歡八卦的。他記得念大二時，曾經拿錄音機去教授俱樂部，想知道加州大學的大牌教授端著雞尾酒時講些什麼話，結果發現大部分是言不及義，只有百分之二十是研究，其餘都是八卦。所以他說從人物著手，學生的興趣就來了。

例如在教南北戰爭時，他先叫學生讀描寫南北戰爭的小說《飄》（*Gone with the Wind*），透過男女主角的遭遇，讓學生很自然的了解戰爭的殘酷和南方為什麼會輸：北方是工業，南方是農業，當海岸線被封鎖時，棉花是製造不出大砲子彈的，所以未開戰就已決定勝負了。他更把戰爭時發生的許多與人性有關的小故事講給學生聽，挑起他們的興趣。

譬如，當時南方人一向看不起北方人，認為他們沒有文化、沒有教養。維琴尼亞州有位世家女兒，曾開槍打死一名想進入她家的北軍，但是審判時，她以自衛之名獲判無罪。為了報復，北軍進駐她家做為戰地指揮所。她偷聽到北軍的作戰計畫，就冒著生命危險，通過火線將這消息告訴南軍的傑克遜將軍，立下功勞。一八六四年，她帶著戴維斯總統的親筆信坐船去英國，想遊說英援。不料她所搭的船被北軍攔截，她被捕，卻與看守她的北方軍官發展出一段戀情。這個軍官竟然為了她放走這艘船，讓自己受軍法審判，最後被開除軍籍。

愛情的力量真是偉大，我想起有首台語老歌，歌詞說為了愛情，墳墓都敢去。最近又看到美國第一位女大法官歐康諾（Sandra Day O'Connor）的先生雖然已經得了老年癡呆症，連結髮半世紀的妻子都不認得，卻在安養院愛上另一個女病患，兩人握著手，坐在陽台的鞦韆椅上看夕陽。病人雖然失去認知能力，但是有一件事不會失去，就是仍然需要愛情。人生在世最珍貴的就是情，難怪人家說找到知心的人是最幸福的人。

在人間，物換星移，只有人性是不變的，人也是教育最值得教的東西。演化使我們天生對別人有好奇心，不費力氣就能記住別人的滄桑史。教歷史應該要講歷史中的人物，畢竟在離開學校，課本上的東西都還給老師後，唯一剩下的就是這些歷史人物留芳百世或遺臭萬年的原因及他們應對當時危機的方式。他問，這不就是我們教育的目的嗎？

在回程的飛機上，我在想，我們要怎樣增加老師的知識，使他們在教歷史時，能像「聖人」一樣，信手拈來一個故事，啟發學生的興趣。教育學家史密斯（Ernest Smith）說：「沒有不可教的孩子，只有不會教的老師。」這句話，今天在「聖人」身上又得到一次見證。

2 以芬蘭教育為師

我們每天考試，
但是學習成績並不比沒有聯考的芬蘭來得好。

《天下雜誌》的創辦人殷允芃女士推動希望閱讀多年，有一次，她邀請了芬蘭前教育部次長林納（Markku Linna）來台灣講述芬蘭教育成功的經驗。芬蘭人口只有五百二十萬，百分之三十的領土在北極圈內，剩下的百分之七十又有二十萬個大小湖泊，只有沿海一帶受到洋流的調節，氣候好一點，可以種植食物。照說這樣的北歐小國沒什麼條件可以和別人比，但是近年來，芬蘭在世界的各種評比上都獨佔鰲頭，所以這場演講大爆滿，大家都想聽聽芬蘭憑什麼崛起。

林納說他認為芬蘭成功，教育成功是第一功臣。他說芬蘭有很好的公立圖書館，藏書多，開館時間長，而且全國網路發達，在家就可以上圖書館的網站借書。工欲善其事，必先利其器，一所友善的圖書館是吸引孩子進去閱讀的第一個條件。

第二，芬蘭教育制度完善，政府和老師、老師和家長之間都有完全的信任，老師學歷高，幾乎都有碩士學位，師資優良，有教書的熱忱，而且他們的教育水準是城鄉一致，沒有差距的。這點我聽了心有戚戚焉，台灣城鄉差距太大，去年基本學力測驗考火星文時，我就很不平，都市的孩子家有三部電腦，鄉下的孩子連半部都沒有，而且台灣最可憐的是「不山不市」的學校，不是都市，沒有政府的補貼；不是山地，沒有民間團體的補助，爹不疼，娘不愛，在自己的國家做二等公民是最令人不甘心、氣不過的事了。

尤其他講到政府與老師之間的信任時我更難過。許多老師因為政府改變退休金的辦法，趕在五十五歲時就退下來。五十五歲正是生命的盛年，孩子已大，沒有後顧之憂，正是可以全力投入教學的時候，因為政府背信，就退下來了，這三十年累積的教學經驗都無用武之地，太可惜了。現在的小學老師、主任都非常年輕，缺乏一些有經驗的人來帶。我一直想，前幾天一個國中女生因被老師懷疑偷錢，在市場廁所上吊，如果老師有點經驗，知道如何顧及女孩子的自尊，這孩子說不定可以不死。人生有很多事是課本沒有教的，要靠經驗去換取，如果身邊有個有經驗的人指導，冤枉路可以少走很多。俗語說「薑是老的辣」，經驗在教學上還是很重要的。

第三點，他說孩子認同芬蘭的歷史和傳統。我們不會去學習一個我們不認同的語言和文化。現在政府在大力推去中國化，我們不認同中華民國卻慶祝中華民國的國慶，不認同青天白日滿地紅的國旗，卻每天升這面國旗。我想林納先生是完全不知道我們做老師每天面臨的矛盾，真不知該怎麼教孩子。

會後，他反問我們：台灣閱讀成效不好，為什麼你們奧林匹克數學比賽會得獎？他認為閱讀是教育的根本，任何獨立思考、理性的分析、創造力都與背景知識有關，而背景知識來自閱讀，怎麼可能根不強而枝葉茂盛？我們怎麼敢告訴他我們的學生很會解題目，因為那是機械化的部分，我們對四則題都很在行，對應用題都很害怕。我們整個教育是知其然而不知其所以然，而且台灣的教育脫離了生活層面，我們學生很會考試卻無法獨立生活，連自己煮頓飯、照顧自己都不會。

我們推閱讀，但是閱讀來的知識在生活中似乎沒有發揮力量，我們有很多的博士、碩士，可是社會風氣依然敗壞，知識分子反而領頭做壞事。我們每天考試，但是學習成績並不比沒有聯考的芬蘭來得好。走出會場，我一直想，事在人為，台灣條件比芬蘭好，只要我們肯檢討，也有趕上芬蘭的一天！

好書推介

《像芬蘭這樣教：快樂教、快樂學的33個祕密》（遠流出版）作者是一位美國老師，他在因緣際會下到了芬蘭，並深刻了解芬蘭教育對孩子的影響，是一本詳盡說明芬蘭教育值得我們學習之處的好書。

3 一年拿一天為別人做點事

台灣的生命力在民間，
愛台灣是行動，不是口號，每人都應盡一己之力。

曾有一次，南投縣仁愛與信義鄉九所學校，三到六年級的原住民兒童都下山參加「偏鄉兒童生命與藝術創意體驗」的活動。要把九百人聚集起來是個浩大的工程，當時，我看到冷漠社會下面的民間愛心：法國巴黎銀行副總裁、錸德科技的副總裁這些平日不得一見的大老闆，前一天便率領他們的高階主管來到南投，她們謙虛的說，一年拿一天替別人做點事是應該的，其實她們認養了很多山地學校的歌唱和舞蹈的課外活動而不為人知。

我一直不懂，原住民孩子的長處在渾圓嘹亮的歌聲和發自內心的舞蹈韻律，為什麼沒有一個專門訓練培養他們的音樂學院？東埔國小馬校長的歌聲宛如天籟，但是他下山去念台中師專時，卻因為不知道什麼叫中央C而被老師羞辱。聽他唱布農族的歌謠時我想著，如果給他機會，他會不會是第二個帕華洛帝？

這些學校的偏遠，山路的崎嶇，不是我們一般人能想像的。為了這次下山，孩子們天沒亮就出門，先要用小車接駁到路比較大、巴士可以停的地方，再一路顛簸，才能坐在文化中心看表演。看著他們臉上熱切期望的表情，我知道再辛苦他們都願意。一個一年級的孩子說他最希望趕快長大，可以下山來看表演。也難怪久美部落一位老阿伯，從二十歲下山當水兵後，就不曾下過山。沒有交通工具時，要走很多天才能下山，偏遠地區的公車怎麼能裁撤呢？

這次最令我感動的是鼓隊和武術表演。孩子擊鼓時臉上的自信表情和團體一致的擊鼓動作，很難想像不久以前，他們才打著赤腳在山野裡跑給校長追。擊鼓心要靜才能專注，動作才有紀律，他們靜下來後，書就看得下，成績反而提升了。運動訓練了專注力，使孩子上課可以聽進去，又因想練鼓，下課後快速把功課做完，沒有拖。校長說有個平日不喜歡上學的孩子，現在連星期六都到學校來練習。

練鼓給孩子帶來自信心、自尊心，學生只有在對自己有信心後，學習才可能進步。上次去台東看到一群中輟生跟著義工老師學習阿美族傳統的樂器，有個孩子說，有一次她上台表演，她國中老師看到了很驚訝說：「我已放棄了你，想不到你還有今日。」聽到這句話，從此她練習不缺席。音樂使這孩子認同她的族群，不再以自己是原住民、處處比不上別人為恥，自尊心給了她向上爬的動力。看到音樂鼓舞孩子的力量，真想建議政府把追蹤中輟生的錢拿來培養孩子的自尊心與自信心，一個對自己不放棄的人是不會中輟的。

那天的高潮是國光劇團的《錢要搬家》。透過戲劇不但讓學生學會金錢的觀念，還讓孩子感受到中國傳統藝術之美。孩子一個個笑得東倒西歪，高興得不得了，有了解就不會排斥，式微的國劇才後繼有人，我對國光劇團的用心感到敬佩。

閉幕時，主辦的東元基金會念了一堆名單，我才了解，這些兒童能夠下山，後面竟有這麼多的人默默在出錢出力；當時復興中小學的李珀校長發動全校師生送全體原住民兒童一人一個鞋盒子的耶誕禮物；金石堂提供每人一包糖果、一個玩具；禎祥食品的張先生提供九百份午餐……，這些人都像巴黎銀行的副總裁一樣，謙虛的說，一年為別人服務一次是應該的。

台灣的生命力在民間，愛台灣是行動，不是口號，他們做到了。

4 變薄變淺的教科書

我們忘了孩子上學最主要是求新知，
所有的改革應以幫助學習為主。

最近春節大掃除，家家戶戶清出許多不要的東西，我們大樓最多的竟然是教科書，很多幾乎是全新的，我好奇的問了一下鄰居，原來一綱多本，他們都花錢買了各家的版本，但補習班出了集各家大成的補習班版本，所以這些都不要了。

我拿起來翻了一下，內容果真是像李家同教授說的「變薄變淺了」，因為要減輕孩子肩膀的負擔，所以內容簡化了，好像大綱一樣，只有骨架，沒有血肉，這讓我非常驚訝，只有骨架的東西能懂嗎？如果不懂又要考，難怪只好用背的了。我們過去頭痛醫頭，腳痛醫腳，只注重表面，不管真正原因的毛病仍然沒改，我們忘了孩子上學最主要是求新知，所有的改革應以幫助學習為主，不應該因為書包揹不動，就把書減輕，忘記了上學的目的。書太重可以像美國學校一樣，書本不帶回家，只帶今天作業有關的影印章節即可。

美國的教科書不用買，是向學校借，用完還回去，下一屆學生再用，這樣其實可以節省很多的資源，不會發生全新課本扔掉之事。他們課本印得很精美，雖然成本高，但因為用很多次，所以成本被歷屆學生分攤掉了，最重要的是，一本圖文並茂的書會使學生愛讀。

教科書的內容應該非常豐富，如果講的是人物，書中應有附錄將這個人的生平介紹一下。知道了這個人的故事，他的所作所為可以預測時，學生學習起來就輕鬆了。美國學生不准在書上用原子筆寫任何字，只准用鉛筆，學期末交回時要檢查，每天作業的部分老師另外有影印本可以帶回家，但也是不准在上頭寫字，因為下一班的同學還可以用。老師出的家庭作業很多是要經過思考，需要用到參考書的，因此這種作業可以鼓勵學生養成上圖書館的習慣。好行為需要從小習慣化，學生必須養成上圖書館查資料的習慣，而且一有不懂的就立刻查。

這讓我想起哈佛大學第一個猶太醫師佛克曼（Moses J. Folkman,1933-2008），他在自傳中說他能夠在二千名競爭者中進入哈佛醫學院做實習醫師，主要是他有碰到問題馬上查答案的習慣。他在口試時，老師問了一些問題他答不出來，他就利用等待下午複試的這個空檔找出答案，沒有想到下午的題目與上午一模一樣，他因此而被錄取。錄取他的老師說：「我不能要求醫師全知全能，但我要的醫師是遇有不懂立刻去查，因為人命關天。」

從小培養孩子不懂立刻查的習慣是很重要的，如果課本很薄，學生只要背就可以過關，他怎麼會想上圖書館呢？

另外，要使學生牢記最好的方式是讓他實際動手操作，我注意到美國在教面積、體積時，老師出的作業是把可樂罐子剪開，用這個材料設計出另一個形狀使它也能裝十二盎司的可樂，但材料要更省一些。要解決這個問題，孩子得很會算各種面積體積才行，實際動手做過的東西留在孩子記憶中很久都不忘。

看到我們學生連大年初一都要去補習，真覺得該好好檢討念書的方法是否正確，心理學的研究已經告訴我們，增加長期記憶最好的方式是了解，要了解必須有背景知識，知識愈豐富的時候需要背的部分愈少，所以課本絕對不能變薄。

或許以後我應該以記憶實驗為依據，來介紹記憶的本質及正確加強記憶的方法，希望這能減輕孩子讀書的壓力。

5 無歧視的教育

每個孩子基因不一樣，天性不一樣，能力也不一樣。

我曾在教育廣播電台聽到高敏麗小姐（當時任職台北文化國小訓導主任）主持的一個節目中，講到一個台灣腦性麻痺的孩子在南非出人頭地、揚眉吐氣的故事，令我非常感動。

這個孩子因早產缺氧而成為腦性麻痺。我們都知道智障不是孩子的錯，更不是孩子的選擇，但我們還是會歧視他、捉弄他。這個孩子一直上到國一，每天都被同學欺凌，渾身瘀青，母親不忍心他受苦，又沒辦法改變大環境，所以決定帶他遠走天涯，找一個可以接納殘障兒的地方讓他讀書。

他們搬去南非，在那裡，入學很嚴格，學校要審查健康檢查表、智力測驗成績及推薦信，甚至在經過家長會通過後還要試讀一週才可以正式入學。雖然條件很苛刻，學校卻非常公平，知道台灣去的孩子不會英文，學校便找了我國駐南非領事館的人員來作翻譯，使他不會因為語言的隔閡而影響考試成績。聽到這裡，我開始感到慚愧，因為我們對原住民的孩子並沒有做到這一點，我們會因他的經驗與我們不同而鄙視他，我們雖然號稱民主，卻不了解民主的真諦是機會的均等，目前學測成績成雙峰曲線，其中就有因物質條件不均等所造成的不公平存在。

腦性麻痺的學生手不能寫小字，學校便買了一部手提電腦專供他使用。聽到這兒，我又感到慚愧，我們連大颱風天都不准傳真試題到蘭嶼，逼著孩子在機場苦等三天無法到台東應試，我們有考慮到這對離島的孩子公平嗎？在傳真這麼方便的時代，蘭嶼難道沒有一位老師值得教育部或大考中心信任，可以請他負責監考嗎？人家會因為學生不能寫而准許用電腦，我們對閱讀障礙的孩子還是一定強迫他寫，二者都是先天的成因，不是後天的懶惰。相較之下，兩邊的待遇真是天壤之別。

報上曾登載大颱風天政府強迫孩子涉水參加考試，我們常把弊病放在福利的前頭，為了防弊犧牲了目的，大家忘記考試的目的是公平的檢測所學到的知識，一個跋山涉水來赴考的孩子在體力消耗上一定比在地生大，而體力會影響精神狀態，這公平嗎？真是愈想愈不敢聽下去了。

這個孩子有了電腦之後竟然玩成專家，學校電腦有問題也找他修理，讓他逐步建立起自信心。後來他對英文詩歌、戲劇產生興趣，寫的作品匯集成冊，被校長讚為「一顆閃亮的新星」。他以第一名畢業的成績進了南非最好的開普敦大學（University of Cape Town）。

聽完這個故事我想起一位朋友的孩子，雖然被診斷為不會開口說話的自閉症，這位偉大的母親卻鍥而不捨的堅持教他說話，每天在餵飯把湯匙放進嘴裡時，母親便說「ah」，湯匙拿出來時，母親便說「ma」，這樣，ah/ma/ah/ma不停的訓練，一天三餐，一週七天，一年三百六十五天，終於有一天湯匙抽出來時，孩子自己說「媽」，從此這個孩子會說話了。

會說話以後，母親想讓他進普通班，又花了很多力氣，使這個孩子逐步正常成長。母親在無意之間發現這個孩子可以跟著哼歌，他的耳朵有絕佳的音感，記憶力也極好。既然有音樂天才，母親便誘導他往音樂的方向發展，目前他已會彈奏四種樂器，現在在一所音樂學院中唸書。

我在想，如果這個孩子生在台灣，恐怕不可能有這種成就，因為我們的注意力會專注到他的國、英、數的表現，我們會看不見他的天分，我們會一直逼迫他補強，強迫他把時間花到去做他不擅長的課業上，最後這個孩子會抗拒上學，會痛恨學習，會覺得自己一無是處，還可能發展出憂鬱症來。

看到這兩個例子真讓我們汗顏，三千年前孔子就說有教無類、因材施教。三千年後，我們仍然把孩子當做一個模子倒出來的泥人，要求他們一模一樣，忘記了每個孩子基因不一樣，天性不一樣，能力也不一樣。這兩個故事，一個發生在南非，一個發生在美國，他山之石可以攻錯，這兩個故事應該讓我們靜下來想一想，在號稱人權立國的台灣，我們有尊重孩子嗎？我們有不歧視和我們不一樣的人嗎？我們傳統的有教無類的教育精神到哪裡去了？

6 要會思考，不是會考試

人生是馬拉松，不是百米衝刺，
不需要在意起跑時的那幾秒。

有個孩子因為有憂鬱症傾向到醫院求診，這位母親堅持她沒有給孩子壓力，她說她只是叮嚀而已。她很在意孩子的功課，每天擔心孩子上課不知能不能吸收、懂不懂，不論大考小考，她都非常緊張，一放學就問：「今天考得怎樣？功課跟得上嗎？」晚上要睡時就提醒孩子：「功課複習好了嗎？書包整理好了嗎？明天考試都會了嗎？」，早上出門時也講同樣的話：「考試時題目要看仔細，要想清楚，字要端正，不要有壓力……。」千叮嚀、萬叮嚀，自己講不厭，最好笑的是最後那句「不要有壓力」。

這孩子的壓力全來自他的媽媽，每天這樣念，如何能沒有壓力？最糟的是，母親對考試的重視會不知不覺傳到孩子身上，覺得考試是天下最重要的事，如果考不好，不論自己有無學到東西都覺得自己很爛、一文不值，所以就會想不如死了算。我很驚訝這位受過高等教育的媽媽竟然認為上學最重要的是考試，而不是學習，一旦孩子考不好，成績不符她的理想，家裡立刻愁雲慘霧，好像世界末日到了。這位媽媽並沒有打孩子，但是她不停的追問：「為什麼考不好？是哪裡不會？要不要再請個家教？」

其實，考試只是評量的一種，有些題目讓我們大人來做也不見得會（李遠哲有一次看到聯考的化學題目，很驚訝的說考得太難太瑣碎了，連他也不見得會做），更何況人有失常，馬有失蹄，就算都會也不見得每次考得好。了解到這一點，父母和老師就不應該把考試看得那麼重，絕對不要有這樣的行徑：考之前，如臨大敵；考之後，檢討算帳。

大人的態度常會影響孩子的觀點，當大人看得很重時，孩子便認為這是唯一的路，一旦考壞，便惴惴不安，寢食無心，甚至在還沒有考之前便先放棄了。父母親的一再叮嚀、一再交代，其實就是無形的壓力，怕辜負父母期望的得失心，真是比千斤擔還重，一個未成年的孩子怎麼承受得起，難怪現在的學生常想用死求解脫了。

人生是馬拉松，不是百米衝刺，不需要在意起跑時的那幾秒。可嘆很多父母對自己沒信心，看到別人的孩子怎樣補習就急忙回家依樣畫葫蘆，不管這對自己的孩子是否合適。

在現代的社會，考試已經不流行了，很多地方面試已取代了考試。科技的進步使得企業對人才的需求不同，就死背的知識來說，電腦比人腦強，如有電腦就不需花人腦去記它，人腦的資源需要釋放出來做組織和整理，尤其是解決問題能力。企業家已看到正向思考力是這個世紀的必備能力。

我們中國的學生在思考能力上非常缺乏，做過很多練習的孩子碰到未做過的問題時，通常是先想「完了，這題沒看過，我死定了」，反而是做得很少的孩子，沒有現成的答案可抄，會去想解決的方法。思考能力應從小培養，如果什麼都是標準答案，都用背的，大腦會僵化，像變成心理學上的心智固定（mental set），就失去彈性了。

世界各國有感於新知識的產出非常快、非常多，紛紛改變教育方式，著重啟發性思考，把該讀的背景知識前一天讓孩子在家裡讀，到學校時，老師開始發問，鼓勵學生思考這些資訊之間的關聯，引導學生作思考。我的兒子念書時，曾經用過一本書叫 Connection，要學生指出每一種重要發明對後來發明的影響，如果某個觀念沒有出現，某個發明可不可能出現。老師鼓勵孩子思考每一種發明的充分和必要條件，孩子很自然的把虎克定律、法拉第電解定律記熟了。這種活的了解使這個知識可以成長，甚至開花結果，得出更多的發明來。而死的知識是無法衍生的，當時記得多少就是多少，時間過後記憶衰退就消失了。

看到世界各國都有因應新時代的需求，在調整他們的教學，我們反而把時間精力花在正名上，實在非常擔心；當我們最後正了名，但是世界的列車也已經開走，這個名又有什麼意義呢？教育是立國的根本，請好好的教育我們的下一代。

7 讀書何用？

讀書帶給人的樂趣是金錢達不到的，
因為那是心靈的饗宴。

多年前，曾發生一個酒醉父親把親生女兒打成重傷，台北各大醫院都拒收，拖了八個小時，最後才在台中梧棲一家醫院開刀之事件。

這樁冷血的人球事件深深震撼了學生的心，有個學生寫了一封〈知識無用論〉的電子郵件給我，認為在這個一切向錢看的社會，錢最大，金錢萬能，如果這個小孩子是自費住院，病床馬上有，醫生馬上可以動刀，何至於在顱內出血、腦壓這麼高的情況下長途跋涉六小時才有人肯收留？他說，讀書有什麼用？博士不是滿街跑嗎？讀書人一個個吃不飽、餓不死，萬一生病還會被拒收當做人球，但是如果從小學做生意有錢的話，看要多少博士都可以買來替他寫論文。他說任何可以販賣的東西就不需要自己做，用錢絕對可以達到目的，他認為學校應該教如何賺錢，而不該再念死書。

看到這種偏激的理論真讓我憂心，因為愈來愈多學生認為金錢無所不能，連「羞」都可以用錢「遮」，還有什麼是錢做不到的呢？很奇怪的是，這種似是而非的理論學生最聽得進去，我們必須在一開始立刻校正他的觀念，免得錯誤訊息到處傳播之後，要花十倍力氣才能導正。我必須馬上告訴他知識有用，它可以救你性命。

南亞海嘯時，英國有個小女孩隨著她母親在那兒度假，她看到海水急劇後退，警覺到這可能是課本所講的海嘯，就拉著母親往高處跑，逃過一劫。在緊急的時候，只有你腦中的知識可以立刻發揮作用，救你一命。另外，知識可以讓你知道你的身體為何如此反應，你就不會驚慌恐懼，病急亂投醫。

去年十二月，我早上要搭七點半的自強號去台中，因家沒電視，所以不知道那天早上有馬拉松比賽，當我發現人潮不斷，交通號誌燈即使變綠車子也開不過去時，只好跳下計程車飛奔趕車，只是我年紀大了，平時又不運動，才跑一下就把身體原本儲存的體能用光了。但火車是不等人的，因此只有咬緊牙根，努力向前，因為肺裡的氧不足應付我身體劇烈運動的需求，我只有張大了嘴拚命呼吸使更多的氧進來。

當我跌跌撞撞爬上已經開動的火車時，一坐下來，立刻開始劇烈咳嗽，一路從台北咳到楊梅才稍微減緩。旁邊座位的小姐嚇得逃到隔壁車廂去坐，她一定以為我是肺病第三期。但是我自己很明白，我是在奔跑時，大口呼吸，把空氣中的灰塵、微粒全都吸入肺中，沒有經過鼻黏膜和鼻毛的過濾。我們的肺就像有潔癖的家庭主婦，不能容忍一點點異物，所以就要用力把吸入的異物咳出來。如果我沒有這個知識，我一定會驚慌，一個人如果突然一直咳個不停，咳到眼淚都出來，不是會讓自己和別人驚嚇不已嗎？

我承認我們現在的教育政策有偏差，教給孩子的很多是他出社會用不到的，而該學會的謀生之技學校又沒有教，造成孩子高不成、低不就，所以年輕人心情苦悶，容易走極端。其實偏差的不只是教育，執政的未能體恤人民，做不到「民之所欲常在我心」，執法的未能為民伸張正義，行醫的未能視病如親，加上所有政策都在治標，不在治本，所以社會混亂，因為治本慢，治標快，政治人物為要在他任內做出政績以利下次選舉，所以不肯做深耕的事，本不固的結果是現在社會出現了各種弊病。

當道德瓦解、經濟崩盤、人心苦悶時，各種傷天害理、匪夷所思的事就全出籠了。讀書固然要能換口飯吃，但最終目的還是在提昇自己的境界，打開自己的視野，保護自己不會被別人騙。讀書帶給人的樂趣是金錢達不到的，因為那是心靈的饗宴，而不是肉體的滿足。

我們教育政策或許真的該檢討了，一個功課很好的學生，如果觀念偏激，對社會也是沒有用。美國的炸彈客（unabomber）就是個最好的例子，目前社會亂象及偏差價值觀如果不及時導正，我們以後一定要付社會成本的。

8 從小培養美的情操？

民主和音樂都是一種修養、一個品味，它不是技術。

我小時候讀《古文觀止》，讀到歐陽修說他得了「幽憂之疾」，辭去職務專心在家養病也養不好，後來跟著一位名叫孫道滋的人學琴，歐陽修覺得彈琴時很快樂，常常彈，他的憂鬱症就好了。其中有句話令我很驚訝，一個讓他辭去官位的病竟然彈彈琴就可以「不知疾之在其體也」，那時讀書不求甚解，也不知憂鬱症的厲害，父親要我們背《古文觀止》，我們倒背如流，但是心中對音樂可以治病印象深刻。

後來赴美留學，在醫院中接觸到憂鬱症的病患，才知道自殺最慘的人就是憂鬱症的病患，他們三管齊下：服毒、割腕、上吊。於是我開始回想起當年背的書，細細思考，果然發現音樂力量的偉大，它真的如歐陽修說的「喜怒哀樂動人心深」，當我們彈奏樂器時，它真的是聽之以耳、應之以手，把心中的鬱結都宣洩出來。所以我在美讀書時，不論功課再忙，一週都抽空去學校的琴房彈一下琴，在彈琴時真的覺得非常愉快，可以忘記一切，真正做到歐陽修所說的「平其心，養其疾」，可以排遣憂悶與悲憤。最後到了寫論文的時間，幾乎離不開布拉姆斯的音樂，音樂伴著我走過求學過程最辛苦的一段。

回到台灣後，發現社會富裕了，許多人都送孩子去學琴，黃昏時間，層層公寓都飄出巴哈、莫札特的索拿塔或變奏曲，但是這個音樂的社會並沒有讓人感受到社會對音樂的喜好和感動。音樂變成父母炫耀孩子成就的一個項目，孩子很「認命」的去學琴，它是每天的例行公事，每個音符正確的從琴中流出，卻缺少了生命的感動。

這一點與台灣許多事情很相似，我們學了國外的皮毛，仕女都會彈奏樂器，但是我們沒有學會他們對音樂真正的愛好和感動，我們要求技巧，忘記了真正的音樂應該來自心靈。就好像我們學西方的民主只學會了投票選舉，卻沒有學到民主尊重他人意見、容忍異己的真諦。

民主和音樂都是一種修養、一個品味，它不是技術。品味的東西就是無法由補習班「教」而得之，它必須誠於中，形於外。在高度競爭的工業化社會中，美育（音樂、戲劇和藝術）可以是個緩衝器，保護自己不落入這個世紀的殺手——憂鬱症——的陷阱中。

現在台灣社會非常混亂，到處充滿暴戾之氣。一位英國友人寫了一封電子郵件給我，描述他離台時目睹藍綠大戰的「盛況」，他說台灣是唯一允許民眾扛著大關刀在機場揮舞的國家，讓我汗顏不已。要鏟除這種暴戾之氣，最根本的做法是從小培養美的情操，藝術、音樂和戲劇是最好的方式。

美育和品德教育都不是立竿見影的科目，政府目前還看不到美育的重要性，但是這是一個今天不做、明天一定後悔的事。我認為教育孩子沒有捷徑，它必須一步一腳印，從美育開始打下修身的根基，長大才能齊家、治國、平天下，希望台灣「富而好禮」不是一個夢。

9 學前教育的科學觀點

學習最主要是情緒和動機，
兩者時間都對，學習效果才好。

二〇〇六年七月，美國國家科學院學報（*Proceedings of National Academy of Science, PNAS*）上有一篇重要的論文，作者為二〇〇〇年諾貝爾經濟獎的得主赫克曼（James Heckman）博士。他是美國總統的經濟顧問，這篇論文的目的是告訴總統，目前世界的潮流是將非技術性的產業外移，移到工資低廉的國家，如印度、巴基斯坦、越南，而留在國內的是技術性的產業，要維持美國的競爭力，他忠告總統要投資在教育上，而教育投資回收效果最好的時期便是學前階段。

全世界已開發國家都愈來愈注重幼兒教育，因為發現學前教育對人格成長最重要，它是品德的基石。

我們可以從神經機制與教養方式兩個層面來看幼兒期的教育。

1．幼兒的神經發展

幼兒期是大腦神經連接最快的時期，所以幼兒期有足夠的人際互動、環境刺激很重要（但不可過分，一分鐘都不讓嬰兒安靜，一直不停的播放英文錄音帶，過猶不及都不好），胎兒在子宮中，平均每一分鐘長二十五萬個神經細胞，當他出生時，大腦中已有一百億之多的神經細胞，比他所需的多了很多，所以嬰兒出生後，其實是在做神經修剪的工作（研究者發現這工作在胎兒七個月大時就已經在子宮內進行了）。

修剪的原則是：有和別的連接過的神經元會被保留，沒有與別的接觸過的神經元會被修剪掉，這是童年經驗為什麼重要的原因。嬰兒一出生後，眼睛便不停的搜尋他所生活的環境，尤其是他周邊人的臉，在腦海中形成「形態」（pattern），這個形態的區辨力會隨著嬰兒年齡的增加而愈來愈好，到嬰兒六個月大時，他已經能分辨出家人和陌生人的臉，因此當陌生人要抱他時，便會大哭不肯了。

不過嬰兒的視力要到十八個月大以後才能正常聚焦，在這之前可以說是個近視眼，只看得清楚近的東西，尤其是母親抱著他餵奶時，從母親手肘到母親臉的二十公分距離，是剛出生嬰兒眼睛所能看清楚的距離，所以嬰兒很早便能辨識母親。

他的耳朵聽力在七個月大便已發展完成了，他能聽到母親的聲音，但是母親不必對他講話，因為他聽不清楚細節，只能聽到籠統的句調（intonation），因為空氣的傳音與水的傳音不同，而胎兒是泡在羊水裡的（我們把臉埋在水盆之中聽電視廣播時，只能聽到句調，聽不到句子的細節），因此不必放英文錄音帶給胎兒聽，母親也不必特意對他講話。

但是嬰兒一出生便可以分辨母親和陌生女子的聲音，那是因為每個人的基本發聲頻率（fundamental frequency）有所不同。至於外人在電話中常分不出同一家庭中姐妹或兄弟的聲音，就是因為他們可能遺傳到同樣的發聲結構（口腔、鼻腔及喉嚨等共鳴箱的大小長短），所以有著非常相似的基本發聲頻率，電話本身所截取的頻率又有限制（通常是三百到三千赫茲的範圍），會有失真，所以外人便聽不出是姊姊還是妹妹的聲音了。

在嬰兒期觸覺比視覺敏感，嬰兒會爬之後常把地上的東西撿起來放進嘴裡，那是因為整個大腦中，運動皮質區和身體感覺皮質區神經外面所包覆的髓鞘最早完成，嬰兒很自然的會用他最擅長的感官來處理外界的訊息。這也是為什麼孩子用左手不必去改他，他用左手表示他的右腦比較發達，應該讓他用比較發達的腦去做事對他比較有利。古人常告誡我們要「順其自然」（Mother nature knows best.），不順其自然，硬用人為方式改變，現在已有很多例子讓我們知道對孩子不好，因為不適他的「性」。

嬰兒在會爬之後，雖然常把地上東西撿起來放進嘴裡來知覺這個東西的特性（硬的、軟的、方的、圓的，這是他學習的方式，所以不必阻撓），但是大自然給了嬰兒一個保護他不瀉肚子的方式，大自然使他爬與長第一顆牙幾乎同時，所以口水的外流將東西上的細菌都流到外面，沒有進入腸道，就不會生病了。

嬰兒起步的早晚只是與他運動皮質與小腦的成熟有關，與智力無關，早會走並不代表比較聰明。現在研究上已知智慧與大腦中神經連接的密度與連接的方式有關，自閉症並不是如坊間所流傳的爬得不夠，我們只要用反證法想一下就知道了。六龜教養院有個了不起的女孩叫楊恩典，她自肩以下天生沒有雙臂，一個沒有手的嬰兒是不能爬的，但是她完全沒有自閉症，所以上面的民間傳說就不攻自破了。

孩子也不必特意吃魚和核桃，這樣做並沒有特別補腦，反而會養成孩子偏食或厭惡某種食物的習慣。任何有蛋白質的東西都對大腦有利，因為蛋白質營養高，身體在發育時需要營養，細胞生長需要蛋白質，如此而已。長在內陸不曾看過海的人智力也沒有比較差，父母只要想一下便了解這個民間傳說的不實，不必強迫孩子吃魚了。

倒是研究上已知，要在孩子小時候盡量讓他嘗試不同的食物，長大後比較不會偏食。研究者發現，動物只有對牠在小時候習慣吃的食物沒有戒心，其他任何陌生食物牠都只會先吃一小口，等二十四小時沒有身體不適後，才敢再去吃一小口，要很長一段時間才敢大口去吃，這是大自然保護動物的一個方法。許多人去美國住了很久仍然不吃起司就是一例，因為台灣乳酪不多，小時候不曾吃過。因此，父母在幼兒期要盡量給孩子吃不同的食物，不可只吃麥當勞或炸雞塊，最近有一位老師作文課請學生寫「童年食物的回憶」，竟然都是麥當勞與雞塊。

2．幼兒的教養

在教養上，幼兒期教育的方式最重要的是身教。一九九二年義大利研究者在猴子的大腦中發現鏡像神經元，當我們看別人做某件事時，我們大腦中做同樣那件事的區域會活化起來。這個發現很重要，因為這表示它是同理心和模仿的神經機制，也讓我們看到模仿是最原始的學習，父母的一舉一動都會在孩子的大腦中留下痕跡，我們不要孩子抽菸，自己不可抽菸；不要他喝酒，自己不可喝酒；不要他賭博，自己不可賭博。學習是上行下效的，不可不慎。

幼兒期的學習是個內隱的學習，孩子不知道什麼時候學的，父母也不知道什麼時候教的，但是刺激一出現，反應就會出現。這個內隱的學習效果長久，它不像外顯的學習，明明學習過法國的首都在巴黎，過兩天就忘了，它們是完全不同的神經機制。

人格的形成是個內隱的機制，所謂人格是一個人對事情的看法，行事的風格，兩者都是在孩子小的時候打下的基礎。所以幼兒教育最重要是教品德，不是教知識，父母不必急著送孩子去補習班學才藝、學寫字，應該把孩子帶在身邊讓他學習你做人做事的態度與方法。因此幼兒期最重要的是學紀律，因為一個沒有紀律的孩子是無法受教的。

所謂紀律不是打與罵，而是從小養成良好的生活習慣，起居有定時、飲食有定量、行為有定則。目前發現教導孩子最好、最容易的方式是念書給孩子聽，透過故事情節詳細的描述引發孩子的同理心，感同身受後，情緒的力量會將這個記憶送入孩子的長期記憶，使他在碰到同樣情境時，有個可以效法借鏡的例子。

一個故事若不能使孩子感動，情緒的力量便不能發揮出來，故事便會聽過就忘。我們從失憶症病人身上看到，強烈的情緒仍能穿透失憶症的高牆，讓病人記得這個事件（尼克在一九六二年因海馬迴腦受傷得了失憶症，但是他記得發生在一九六三年十一月二十二日的甘迺迪被刺事件；亨利在一九五三年因手術切除海馬迴得了失憶症，但是他記得六〇年代他父親的死亡）。

科學家的研究發現情緒的重要性與日俱增。過去柏拉圖和亞里斯多德都說情緒和理智是雙頭馬車，兩者互相較勁，拉著人往不同的方向去；現在臨床上已看到情緒是理智的根本，兩者是從屬關係而不是希臘哲學家認為的並駕齊驅。當一個病患失去感情的能力，如前額葉皮質下端眼眶皮質（orbitofrontal）破壞時，病患變得無感情（apathy），他沒有了喜好也就無法做出判斷，這個病患將他想買的新車品牌優劣點全部列出，卻因沒有喜好，無法決定取捨，最後擲銅板決定，所以感情是理智的基礎。

科學家對情緒的持續研究，讓現在兒童發展學家知道情緒的發展是幼兒期前最重要的一項工作，它是人格的基礎。中國人過去所說的「胎教」，其實就是母親的情緒，研究上已知母親的情緒若是緊張，身體中會分泌大量的壓力荷爾蒙，透過血液影響胎兒的發育。在所有的情緒中，最重要的是安全感，幼兒必須與照顧他的人形成聯結（bond），使他可以百分之百相信照顧他的人，他才會遵照這個人的指示去做。在以前，照顧嬰兒的人幾乎一定是母親，現在因為雙薪家庭，常會把孩子抱出去托嬰，研究上知道照顧孩子的人不能一直換，父母與保母照顧孩子的方式也必須一致，孩子才不會無所適從。

我們看到有安全感的孩子將來敢去探索，也不怕失敗，因為知道底下有張安全網托著，這個安全感不是二十四小時黏在孩子身邊，而是孩子需要你時，你需在他身邊及時伸出援手。過去有許多雙薪家庭強調他們給孩子「quality time」，說每週雖然只有兩小時陪孩子，但這兩小時是高品質的，父母親放下工作，全心全意帶他出去玩或陪他玩。現在發現這種不叫 quality time，因為沒有顧到孩子當時的需求，很多時候，父母有時間要陪時，孩子卻想獨處，就像孩子拿功課來問父母，父母忙，沒有時間教，等父母忙完有時間教時，孩子已經不想學，動機時間已過了。

學習最主要是情緒和動機，兩者時間都對，學習效果才好。這正是為什麼西方國家推崇親子共讀，因為那是一段固定時間，父母把工作放下，以孩子為中心，專心唸書給孩子聽。通常這段時間會選在晚上睡覺前，因為被人全心全意的注意是一種良好的感覺，孩子帶著這種良好的感覺睡覺，不容易做惡夢。同時因為在實驗上已知道孩子做夢時會把白天發生的事情拿出來整理（有實驗發現學習完不准睡覺，學習的效果差，解決問題內隱的洞察力也會受影響），所以有個好睡眠、好夢境，對幼兒發展是有利的。

實驗者發現，這個時期的人際關係對以後孩子情緒的穩定性有很大的關係。一個常被打罵的孩子，對別人臉上情緒的察覺比正常孩子快了二十毫秒以上，大人一變臉，他馬上就察覺到，生理反應立刻出現（心跳加快，血液流向四肢，準備逃命）。這種腎上腺素長時間的大量湧出會改變前額葉神經元受體的反應，使這孩子對外界刺激有不同的看法，將別人的微笑解釋成冷笑或嘲笑，將別人伸出的援手解釋為加害之手，於是便發生不良少年在別人看他一眼時便拿刀砍人之事了。

因為幼兒期情緒發展的重要性，西方國家都鼓勵父母在孩子進學以前自己在家帶孩子，政府寧可補貼母親沒有出外工作的金錢損失（政府對自己在家帶孩子的母親一個月補貼二千五百元新台幣，直至四歲），他們已經看到不良少年對社會所耗的成本，遠大於目前這些津貼。

閱讀的另一個好處就是透過孩子對故事中主人翁的認同，學習良好的行為方式及正確的價值觀。同時，因為作者與讀者不在同一個時空向度上，作者的陳述必須有邏輯性，讀者才能懂，因此，閱讀可以幫助孩子有邏輯性。當一個故事不合邏輯時，孩子常會追問「為什麼呢？」這表示他腦海中已有因果關係及一些三段論法的推理了。

孩子是上天給父母的福賜，我們希望孩子成為什麼樣的人，我們自己必須先變成那樣的人，而且必須表裡如一才能贏得孩子的尊敬。在孩子成長的過程中，物質上的享受不是那麼重要，所以父母不必拚命加班以求給孩子更好的物質享受，但心靈上的滿足感卻是不可缺的，孩子必須知道父母是愛他的才有安全感，才會有自信。所以父母給孩子最好的禮物是陪伴孩子成長，監督他、保護他、引導他走上正途，成為一個有用之人。

父母同時還必須給孩子一種基本的謀生工具，那就是閱讀。閱讀像是敲門磚，可以打開人類知識之門。當一個孩子有健全的人格，又有閱讀的習慣時，他就有了面對未來世界必備的條件，世界雖大，他已可任意翱翔，他的人生可以掌握在自己的手中。這正是為什麼我們說安全感與閱讀是父母給孩子最好的禮物，其餘的不過是錦上添花罷了。

父母不必太在意應該怎麼帶孩子，盡信書不如無書，只要孩子每天迫不及待要睜開眼睛去迎接新的一天，你就知道你做對了。對孩子的教養來說，品德第一，有好的品德，以後可以去學習新的知識；有好的知識沒有好的品德，沒有任何人敢用他。但丁（Dante, 1265-1321）說：「道德可以彌補知識的不足，知識無法填補道德的空白。」父母親只要抓住品德重點，順其自然，就會有個活潑快樂的孩子了。

第5篇

教養是孩子最重要的資產

1 孩子不是給你拿來比的

評量孩子的方式很多，分數固然最公平，卻是離事實最遠的。

最近連續收到好幾封國中孩子的來信，都在問為什麼父母這麼愛比較，將他們與弟妹比、與鄰居比、與同學比，讓他們非常痛苦，不如別人時，心中常有既然我這麼不行，死了算了的念頭。其中一個甚至寫「既生瑜，何生亮？」讓我哭笑不得，但也感到父母親這種比法對孩子自尊自信的傷害。

人好比，這是不可諱言的。有個笑話說：一個人去向老闆要求加薪，老闆說不可能，這個人就指著外面的同事說：「那麼你把他的薪水減少一點。」甚至動物都會比，有個實驗發現：兩隻猴子如果「同工不同酬」，一隻給葡萄乾，另一隻給黃瓜，那麼拿到黃瓜的猴子會生氣，把黃瓜丟到地上不要，雖然本來牠很願意吃黃瓜。所以「比較」是動物本性，但是這不代表我們一定要比，人比動物高明的地方就是我們可以超越動物本性，不然怎麼叫「萬物之靈」呢？父母不應該將孩子拿來比較，因為連同卵雙胞胎的人格都不一樣，我們怎麼可以把孩子比來比去？

伊朗有對頭連在一起的雙胞胎，拉列和拉丹（Laleh & Ladan Bijani），她們不但基因相同（同卵），而且因為頭連在一起，後天環境、經驗完全相同（連上廁所都在一起），照說她們的人格應該一模一樣才對，因為所有教科書所列的影響人格條件她們兩個都相同。但是事實證明，她們兩人的人格很不一樣：一個想做新聞記者，去德黑蘭發展，一個想留在家鄉做開業律師。她們自己說天下沒有比她們更不相同的人：她們對世界的看法不同，對生活的要求不同，對任何事情的看法都不同，所以雖然明知分割有百分之五十的風險，最後仍然決定分割。她們說活著不能分開，死了也要能獨立埋葬，不幸一語成讖，她們最後是躺在分開的墳墓裡安息。

這個悲劇讓我們看到孩子都希望被視為獨立的個體，不是誰的兄弟或誰的影子。事實上，如果連連體嬰都不相同，父母怎麼能要求孩子的表現要相同呢？拉列和拉丹的例子讓科學家了解過去對人格形成的看法是錯的，因此有好幾本新書是在討論孩子人格形成的因素，沒有兩個孩子是一樣的，就像沒有兩個指紋是相同的，不要將孩子互比，這種比很傷人，更傷手足感情。

人生不是只有分數，出社會以後，在學校的成績一點都不重要，何必現在斤斤計較，為了將來不重要的東西賠掉孩子現在的自尊與自信？分數更不能代表孩子的總值，評量一個孩子的方式很多，分數固然是最公平的，卻是離事實最遠的，因為很多人格的特質或價值觀是分數測不出來的。最近美國醫學院招收新生時，會派兩位學長跟新生一起生活四十八小時，從生活中實際了解孩子性向與價值觀。會念書、會考試的孩子不一定就是好孩子，我反而喜歡遇事主動、樂觀進取的學生，因為在人生的路上，最後成功的是後者而不是前者。

2 陪孩子一起成長

父母給孩子最好的禮物是陪伴孩子成長，
給他安全感，同時以身作則。

期末，老師們檢討一學期來的教學心得，大家普遍的感覺是現在學生愈來愈會考試，卻愈來愈不會做事。我頗有同感。

前幾天去一所學校演講，走出機場找不到接機的人，原來機場不能停車，兩位接機的老師坐在汽車中，在機場外繞圈子，繞了快一個小時，卻沒有人想到應該有個人下車到裡面來告訴我他們在外面。有位老師說，他最怕跟在學生後面進門，學生不會把門扶著，讓後面的人進來，他自己進去後一鬆手，門彈回來正好打到老師的眼鏡。

像這種例子不勝枚舉，現代父母都把孩子送安親班、補習班，沒有帶在身邊，給孩子機會看大人做人做事的方法。因為課本內容很少，作業反覆操練的結果是學生只有精沒有廣，知識不廣就不能設身處地從別人觀點看事情，使別人從外表看來，以為學生是自私自利，其實他只是不懂事。

細想起來，現代父母努力賺錢給孩子我們小時候所沒有的，卻忘了把我們曾經有的給他。炊煙裊裊曾是家的象徵，黃昏時看到炊煙，心中就很溫暖，我們小時候一定回家吃飯。曾幾何時，全班三十個人竟然沒有一個人是全家坐在一起吃晚飯的，即使不外食，也是流水席，依回家的時間自行取用。學生告訴我，即使坐在一起，眼睛也是盯著電視，彼此沒有交談，聽了令人唏噓。吃飯原是大家交換一天心得經驗最好的時候，連晚飯都不一起吃，難怪父母不知道孩子在外面的行為，孩子懷孕都八個月了，父母還不知道。

模仿是最原始的學習，家庭是最早的學習場所，人格是在小時候一點一滴累積而來的。我對事情的很多看法是在小時候與父親交談中不知不覺形成的。小時候，沒有什麼兒童讀物，任何東西拿來都讀，有一天讀到明朝張岱說：「鋤頭耶怕重，讀書耶怕痛。」覺得很奇怪，鋤頭重，當然是說讀書人肩不能挑、手不能提，百無一用是書生，但是讀書為什麼會痛呢？

父親嘆氣說，這是因為「自古忠良無下場」，中國歷史上，死得最慘的都是忠臣，如袁崇煥、左寶貴、文天祥，因為忠言逆耳，而讀書人必須像林則徐一樣「苟利國家生死以，豈因禍福趨避之」。我就問：既然無下場，為何還要做忠良？父親不說話，回身拿出全祖望的《梅花嶺記》叫我看，看到洪承疇問孫兆奎：「先生在兵間，審知故揚州閣部史公果死邪？抑未死邪？」孫公答曰：「經略從北來，審知故松山殉難督師洪公果死邪？抑未死邪？」承疇大恚，急呼麾下推出斬之（洪承疇聽後非常惱怒，急忙叫部下把孫兆奎拖出去斬了。）看完之後從此不敢說我姓的洪是洪承疇的洪，也了解人為什麼不可以苟且偷生，因為那會遺臭萬年。

父母愛孩子，所以拚命加班賺錢，希望給他最好的，殊不知最好的其實是不用錢買，父母給孩子最好的禮物是陪伴孩子成長，給他安全感，因為安全感是人格成長的基石；同時以身作則，讓他從你的一言一行中學會人生的態度。我現在晚上睡覺，枕頭底下有支手電筒，那是父親的教誨，「不怕一萬只怕萬一」，火警時逃生用。父親已經走了許多年，這個習慣仍然在。父母對子女的影響是何其深遠，怎可送孩子去補習班，為分數而放棄教育他的大好機會呢？

3 開不得的玩笑

話講出口，收不回來，但傷害已造成，
而更多傷害是無知造成的。

朋友在生完老大八年後意外懷孕，全家都很高興，小姊姊也非常疼愛弟弟。在吃完滿月酒後，母親突然發現女兒不見了，一時大為驚慌，大家分頭找。幸好有人在路上看到姊姊，打手機回來報訊，大家才放下心。

當母親氣急敗壞的問女兒為什麼亂走時，女兒哭著說：「我以為你不要我了。」這才知道在酒席上，有人自以為幽默的對孩子開玩笑說：「你媽媽生了弟弟，不要你了。」姊姊一開始不相信，但是連續有三個阿姨開這個玩笑，她不得不信。既然媽媽不要她了，她決定坐火車去嘉義找阿嬤。

我聽了簡直不敢相信受過大學教育的人會這麼殘忍，難道不知道這個年齡的孩子是非常相信大人的話嗎？更何況三個人都說同樣的話，哪能不信？連曾參的母親連續聽到三個人說曾參殺人時，也會出去找曾參。這件事給我很大的感慨，我們大人常忘記自己小時候是多麼希望大人的肯定與關愛，而大人卻常常用「不愛你了」去恐嚇孩子。

俄國大文豪托爾斯泰（Leo Tolstoy, 1828-1910）最小的女兒沙哈，在回憶錄中說她母親是伯爵夫人，家中講究排場，堅持穿最好的衣服，用最好的用具，而她父親卻認為衣服只是保暖之用，對生活不講究。有一次，沙哈掉進泥溝，滿身污穢的走了進來，母親大怒，用皮鞭打她。她逃出家門，決定去跳河自殺，因為上面有十二個兄姊，大人的眼光輪不到她身上，她覺得沒人愛，所以決定去自殺。

她在河邊碰到散步的托爾斯泰，父親只輕輕的撫著她的臉頰，說了一句：「沙哈，一切都會變好的。」她當下就打消了自殺的念頭。她在回憶錄中寫道：「我寧願每天挨打以換得父親慈祥的安慰。」當時看到這裡非常震驚，皮鞭打是多麼的痛，為什麼寧可每天挨打，只要她父親可以撫摸她？長大後我才體會到人對愛的需求與渴望。心中有愛，再大的苦都捱得過來。又等到我有小孩後，才發現孩子是多麼渴望父母的稱讚，我兒子很小就替我擦地板，只因為我稱讚他地板擦得好乾淨，比媽媽擦的還好，他就常常主動替我擦，希望聽到我的讚美。

在實驗中，我們看到人聽到讚美的話時會不由自主的微笑，大腦中的多巴胺報酬系統會活化，引發愉悅的感覺。這個多巴胺系統與動機系統有關，所以孩子會更有動機去做同樣的事以獲得更多的讚美。

講話是藝術，我們一定要認清開玩笑的對象和場合，不當的玩笑話會造成不可收拾的後果。昨天報刊載有個人被嘲笑他掛的槍是玩具槍，他就拔出槍來把那個人打死了。有人誤把肉麻當有趣，把嘲諷當幽默。我常看到被嘲笑的孩子滿臉通紅，強忍著眼淚，好幾年前，桃園縣復興鄉的一個女孩子就因為同學的嘲笑，回家喝了農藥。

話講出口，收不回來，但傷害已造成，但更多的傷害其實是無知造成的。對年紀小的孩子更不可開玩笑，因為孩子天真，他相信你講的每一個字。尤其不能告訴孩子媽媽不再愛你了，因為對孩子來說，父母的愛是她的一切，這種玩笑是殘忍的，一點都不好笑。在孩子面前，大人請謹言慎行。

4 教養是孩子最重要的資產

世界上並不存在「教養」行為，
它是很多事後附帶產生的作用。

最近參加了一場如何培養優秀科學家的座談會，會中大家對科學家的必要條件眾說紛紜，但有一點是公認的，即必須誠實、正直、有人格的完整性（integrity）。這個誠實正直不是口號可以教出來的，它是孩子從觀察父母平日一舉一動中，潛移默化，自然歸納出來的做人做事的原則。

在大腦科學還不很發達的時候，德國的教育學家洛德（Heinrich Roth, 1906-1983）就認為一個人的人格與四個因素有關：一是基因，二是生長的環境，三是動機，四是前三者的交互作用。事實上，現在大腦的研究的確證實了洛德的看法，大腦是基因與環境交互作用的產物，沒有不可教的孩子，只是學習的快與慢而已。

過去父母迷信基因的重要性，常認為孩子天資不好，就放棄了。其實自然界中沒有一種動物像人類一樣，大腦這麼慢才成熟，原因是大自然要給環境一個機會，讓它有時間作用到基因上。父母若給孩子一個正直誠實的人格榜樣，孩子縱然只是中上資質也會成功，因為好的人品會得到別人的協助，他會因自助、人助、天助而成功。

以前加州有一位名教授，學問又好、風度翩翩，是學生景仰的對象。他小時候家中很窮，父母打零工採棉花維生，他說他母親整天彎腰採棉花，下工回家，背直不起來，需要有人幫忙才能扳直。他從父母身上學會辛勤工作，念大學時在餐廳做侍者，學會看人臉色換取小費。他開玩笑說，父母給了他吃苦耐勞的基因，環境讓他能屈能伸，他窮怕了，所以想出人頭地、改善家庭經濟，有了這個動機，他努力爭取所有機會，終於做到美國總統的科學顧問。

其實，孩子一出生時，感覺器官就不停的接受外界環境中的各種訊息，這些訊息影響大腦的發展，每一個親子的經驗都在大腦中留下痕跡，這個痕跡又決定下一次的親子互動，互為表裡循環不絕。所以中國人所說的「三歲定終身」其實指的不是智力而是人格的養成，三歲時智慧還未開，怎麼可能定終身呢？但是孩子已經從父母身上學到處世的態度了。

在高科技的現代，殺人不見血，一個按鈕按下去，可能死幾百萬人都無感覺，所以科學家的人品培養比知識重要多了。品德是一個人的根，有根的植物花才開得久。政治尤其如此，一個無品的政客會耗費國力，更是全民的危機。台灣最近重大弊案不斷，是該再回到基本教育層面，從品格教起的時候了。

哲學家史沛曼（Robert Spaemann,1927-2018）說得好，教養不是一個理性目的的歷程，世界上並不存在一種叫「教養」的行為，它是在我們做了很多其他的事之後附帶產生的一種作用。教養是孩子一生中最重要的資產，政府應該重視它。

5 第二天性

大腦的可塑性是終身的，
把孩子的生命導向正確的成長方式，絕對必要。

在泰國與緬甸附近的東南亞海域上有一群「海上吉普賽」人，他們以船為家，生老病死都在水面上，孩子不會爬先會游泳。這些孩子可以不戴任何潛水器具到三十呎深的海底去取海參、干貝，蘇祿人（Sulu）更可以潛到七十五呎深的海底去取珍珠。他們至海底取小貝如探囊取物，毫不費力，不像我們在海水中，因光的折射，看不清楚東西。

瑞典的研究者發現，這些人學會把心跳減慢，使他們在水裡的時間可以比常人長兩倍，最厲害的是他們可以調整眼睛的水晶體，增加光的折射，也可控制瞳孔的大小，使他們在海底可以看得見東西。實驗者在陸地檢查他們的眼睛時發現和別人沒有兩樣，但是在海底讓這些孩子看撲克牌時，發現他們比歐洲孩子的正確率高出兩倍。過去我們都認為瞳孔的收縮是反射反應，由神經系統控制的，最近的研究發現這個能力並非基因上的關係，因為研究者者成功地訓練了瑞典孩子在水裡也能做到百分之二十二的收縮。我們完全沒想到環境竟然可以改變生理的控制。

這份報告使我們震驚，但是細想一下就覺理所當然。人是環境和基因交互作用的產物，為了生存，人類會不斷改變自己以適應外面的環境，當然，有智慧的人也會不斷改變環境以使自己過得更舒服，因此文化就變成了「第二天性」（second nature），一個文化中的行為會變成這個文化中孩子的天性，使孩子做出這個行為而不自覺。

看到這篇報告，不禁讓我們反省我們給了孩子什麼樣的文化，他們的大腦會因為每天看到立法院打架、街頭討債追殺而改變嗎？最近報紙副刊家庭版登了一篇短文，大意說她家廁所的衛生紙、擦手紙都是來自先生的公司，拿公家東西回家用已是現行的社會文化，她公公也是如此，沒什麼不對。這篇文章登出來後，令我很擔憂，一個孩子生長在這種是非不明、公私不分的環境裡，將來長大會成為什麼樣的人呢？假如對於不對的行為大家都睜隻眼閉隻眼，以後這個社會文化就成為我們孩子的價值觀，就難怪「國庫通家庫」了。

近年來神經科學對教育最大的貢獻，就是發現大腦的可塑性是終身的，人終其一生不停的因外界需求而改變大腦神經的連接，連八十歲老人海馬迴的神經細胞都能再生。這些發現對教育者是個很大的鼓舞，知道我們好好教孩子，可以改變孩子天生的設定。聾人周邊視覺（peripheral vision）在大腦皮質作用的區塊與正常人不同，因為他們聽不見，必須利用更多的周邊視覺來偵察遠方的訊息。

看到海上吉普賽人的孩子可以控制他的心跳、水晶體及瞳孔，我們很擔心不良的社會文化如電視每天不斷播放打架、兇殺、命案現場，對孩子成長的影響。所以把孩子的生命導向正確的成長方式，絕對必要。最近好幾個研究都發現閱讀和運動是促使神經活化、增進學習效果、預防老化最好的方法。現在馬上放寒假了，希望父母親能關掉電視，多陪孩子閱讀與運動，閱讀與運動必須成為風氣，才能變成孩子良好的第二天性。

6「引發」孩子的改變

行為的塑造是緩慢的，
只要朝對的方向走，就能使好行為慢慢形成。

最近去日本開會，聽到加拿大一位名小兒科醫生演講，因為她本身是四個孩子的媽媽，所以對管教孩子頗有心得。她說在門診所看到的行為偏差，如果父母知道該如何做，其實非常容易矯正，這使我的耳朵立刻豎起來，因為我們在研究上知道行為是基因和環境交互作用的產物，很多時候，環境甚至比基因更重要，有些行為要環境的「引發」（trigger）才會出現（例如大腦中本來就有學習語言的機制，但是孩子必須接觸到語言，這個機制才會啟動）。

她說一般父母處理的方法是責罵，因此引發憤怒和挫折，效果不好，有些孩子甚至變本加厲。她說父母一定要了解我們無法強迫孩子改變，也無法替他做行為，所以必須使孩子從心中願意改變這個行為才會有效。她說在開口罵孩子之前，先問自己，有沒有別的方法可以引發你要的行為出來？

很多親子問題出在孩子不愛讀書，但是五百年前達文西（Leonardo da Vinci, 1452- 1519）就說過：「強迫餵食會損害健康，強迫學習也會損害記憶。記憶並不是接觸資訊時就自然產生，強迫收進來的東西不會被保存。」我們應該給孩子一些空間，用不同的方式將我們希望的行為誘導出來。《孫子兵法》說「攻心為上」，要讓孩子覺得這是他自己要做的，而不是被父母強逼的。她認為任何方式都比嘮叨、賄賂或責罵來得有效。

德國哲學家史沛曼說：「教養不是一個理性目的的過程，世界上並不存在一種叫『教養』的東西，它是在父母做了很多其他事之後，附帶產生的一個作用。」父母做對的事情，教養就自然出現。她說人的記憶是偏向記住不好的事情，許多人二十年後還記得父母當時的辱罵言語，所以盡量不要用打罵的方式，父母尊重孩子，孩子一定也會尊重父母。

行為的塑造是緩慢的，不要期待孩子一夜之間就改變，只要朝對的方向走，就鼓勵他，使好行為慢慢形成。她認為十二個月大的嬰兒就可以學習把玩具放回玩具籃中，孩子長到搆得著開關時就可以教他用完要關燈。只要持之以恆，天下沒有不可教的孩子。她也鼓勵父母親盡量自己帶孩子，一方面享受孩子天真的樂趣，一方面隨時糾正他的行為。她說人生最大的安慰是教出一個禮貌、懂事、上進的乖孩子，我完全同意。

下次，當你的孩子犯錯時，請先按捺住你的怒氣，蹲下來，從孩子的眼光來看事情，你會發現，他原來是要取悅你，想拍你的馬屁，但是年紀還小，做不好，馬屁拍到馬腿上了。瞭解他的動機之後，怒氣會消一半，因為當你從欣賞的眼光來看孩子時，你會看到他的長處，你換個方式說他，他會接受，並且把你誇獎的長處一直努力去精進，以博得更多的稱讚。

這位加拿大小兒科醫生的話是對的，如果父母知道怎麼去矯正，孩子的行為是很容易改過來的。

7 讓孩子看得見明天

孩子要有獨處時間處理情緒，
不能讓他覺得像讀書機器而不是人。

朋友的孩子自殺未遂在家休養，我聽到這消息很難過。政府一定要了解，防止自殺不是要學生簽承諾契約書，而是要找到青少年情緒宣洩和昇華的管道，我們音樂、藝術和體育的教育不可再拖延了。

每個人在青春期都經歷過荷爾蒙大量分泌導致情緒不穩定的階段，青春期也幾乎是每個人成長過程中最黑暗的時期，課業的壓力、同學的排斥、父母的不諒解，使每個人都覺得好像過不下去。但是每個走過來的人都有一套他自己排解的方法：男生常是下了課拚命打籃球（重複性的動作會壓抑大腦中杏仁核的活化，去除負面情緒），一位同事說，他打到天黑籃框都看不見了還在打；另一個女同事說，她每天上學是用走的，這走路的過程就是她沉澱心情最好的時光。

而我，則是回家一定要先聽德弗札克（Antonin Dvorak, 1841-1904）的《新世界交響曲》，不聽就無法靜下來做功課。那時放學回家要先幫忙做家事，所以就在擦地板、洗菜時聽音樂。很感謝大我五歲的姐姐用她家教的錢買了架唱機，使我得以聽古典音樂。每個孩子都要給他獨處的時間來處理自己的情緒，不能把他每一分鐘填得滿滿的，讓他覺得自己好像一部讀書的機器而不是人。

戲劇是另一個使學生體驗人生的方式，戲劇中悲歡離合，演者入戲，觀者入神，但是走出戲院，如夢一場，這一切都不曾發生過。人不一定要親自去經驗每一件事，他可以從別人的經驗中增加自己的智慧。記得二〇〇七年三月三十日國光劇團到屏東演《錢會搬家》給七百名國中生看，學生看得如痴如醉，沒有一個人起來上廁所尿遁，每個人看完都說「不知中國傳統的戲劇這麼好看」，我這才知道祖先傳下來這麼好的文化精華，他們竟然都不曾接觸過，真是太可惜了。

小說也是一樣感動人心，黃春明說他初來台北念師專時，台北人的作息與宜蘭不同，非常想家，幸好學校圖書館有古典翻譯小說，大量閱讀幫他度過青春期的難關。我小時候也常拿《簡愛》來看，看到會背。書提昇了我們的境界，脫離自怨自艾的陷阱。當然，戲劇比閱讀更好的是它是另一個人對同樣故事的詮釋。很多時候，宣傳海報會以豪華佈景做廣告，我認為那是捨本逐末，戲劇會感動人的不是佈景而是演員，演員好，就算台上空無一物，也會感動觀眾的心。

我記得京劇《奇冤報》中，李奇被冤枉，打入死牢，半夜哭監，唱道：「人生有三苦，少年喪父，中年喪妻，晚年喪子。」唱得聲淚俱下，我那時才十二歲，但是聽到這段唱詞，緊緊地抓著父親的手，因為我不能想像爸不在時，我會怎麼樣。它提早使我感受到父母的重要性，孝順父母要趁早，使自己沒有「樹欲靜而風不止，子欲養而親不待」的遺憾。其實念書辛苦是不怕的，只要老師公平，又有宣洩管道，日子仍是可以捱得下去的。

現在孩子的問題是沒時間讀課外書、聽音樂或看戲劇，他們有無數功課要做，而要他們投入全部時間去死背的知識以後又用不到或會改變（冥王星現在已經不是九大行星了），社會又充斥著奢華頹廢的風氣，使孩子看不見明天，找不到生命的意義。假如社會給孩子的榜樣是「巴黎拜金女」，我們怎能期待他對生命有美好的憧憬呢？政府現在不能再用無錢做藉口，蚊子館、燈會，所浪費的錢何止千千萬，難道台灣孩子的命抵不上它嗎？納稅人的錢請用在教育上。

8 多讚美，少潑冷水

多讚美孩子，只要有進步，
雖然尚未達到你的標準也請你先稱讚他。

中國人向來謙虛，但是過度的謙虛會造成誤會，也會讓孩子以為他在父母心中沒有地位。

一個朋友平日很少與她母親來往，過年則一定出國以避免年初二回娘家。原來她結婚那天，在喜宴上母親當眾對她的婆婆說：「我這個女兒又懶、又不會做家事，五個女兒中就屬她最差，請親家母多包涵。」她在旁邊羞愧得抬不起頭來，心中很氣，因為她其實是所有姐妹中最能幹的一個。聽到母親這樣說，她認為母親偏心，更認為母親不應該在婆婆面前講她壞話，讓公婆對她有先入為主的壞印象。所以結婚後就不回娘家，每次與婆婆不合，心中就怪罪到母親身上，夫妻吵架時，她先生也會說連妳自己的媽媽都說妳不好，讓她氣得說不出話來。

直到母親過世，與其他姐妹一起守靈時，才發現母親對每個女兒的婆婆都是這麼說，她們也想不透，為什麼親生的母親要在外人面前說自己的孩子不好。她父親聽到才說，母親是為了她們好，先把醜話講在前面，要婆婆有心理準備，多擔待一些。她聽了非常後悔，但已來不及了。她說她不懂，為什麼要先講孩子不好才能保護孩子。

我其實也不懂，中國父母為什麼不能用正面的方式對女兒的婆婆說：「我這個女兒又能幹又乖巧，是我的寶貝，真捨不得她嫁出去，還請親家母像我一樣，多疼愛她一些。」如果這樣說，孩子會非常高興，覺得母親很看重她，嫁過去，一定不能讓母親漏氣，所以什麼事都要做得比別人更好才行。這樣一來，婆婆看她這麼賣力，自然會對她好，她也不會動不動就懷疑婆婆是不是因為聽了媽媽的話在嫌她不好，每天生悶氣。

有人說我們是悲觀的民族，什麼事都先看負面，父母總是喜歡罵孩子，不肯稱讚孩子。中國人也不能坦然接受別人的稱讚，總是要謙虛一番，挑出毛病來，有時還怕別人不信，加油添醋，生怕孩子壞得不夠。其實這都是對孩子自尊心的打擊。

在孩子小的時候，他對自己的看法都來自大人，我們對他的評價會影響他對自己的看法，既然你說我壞，我就壞給你看。外國人常能坦然接受別人的讚美，他們會微笑說謝謝，而我們幾乎都不能，總要找出些缺點來撫慰別人，生怕別人嫉妒陷害。在教育上，我們知道，要改正孩子的短處，最有效的方法是放大他的長處。所有的孩子都渴望大人的稱讚，當你稱讚他時，他會更加努力做你稱讚的事，使你繼續稱讚他。久而久之，這個行為便成為他的長處，最後成為他出社會後謀生的能力。

現在台灣媒體幾乎都是負面的報導，使人對人性失望，心情鬱卒。其實每天也有很多的好事發生，如三個新竹的年輕人每逢假日就去撈河裡的垃圾，也有人自己復育台灣原生種的百合和螢火蟲，更有人組織社區去護山、護河。如果媒體多報好事，這個社會就不會這麼冷漠，人也不會這麼鬱悶了。

請多讚美孩子，只要他今天有比昨天進步，雖然尚未達到你心中的標準也請你先稱讚他。你會發現孩子會更努力的取悅你，最後他的長處會表現出來。

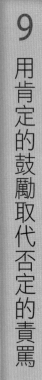

9 用肯定的鼓勵取代否定的責罵

「良言一句三冬暖，惡語傷人六月寒」，
給孩子一個笑臉吧！

我有一次去國中演講，談學習和情緒的關係，講到人逢喜事精神爽，心情好，學習才有效，創造力的點子才會源源不斷湧出來，很多科學上的發明都是在散步、心情輕鬆時跑出來的。

有個孩子就站起來說：「如果是這樣，為什麼大人這麼喜歡罵人，從早罵到晚？」他舉例子說：「早上尚未起床就被罵，父母大聲吼說要遲到了，怎麼還沒起床？到了學校，還沒上課就挨罵，老師叫我們掃地快點、快點。升旗時，校長和訓導主任在台上輪流罵，罰我們晒太陽。好不容易進了教室，老師發考卷又是罵。回家吃晚飯還逃不過，父母在吃飯時都要教訓人，洗過澡，偷看一下電視也被罵，反正每天都是罵到睡覺為止。有時，連作夢都在挨罵。如果學習跟情緒有關，為什麼大人跟我們講話都是疾言厲色，而不是和顏悅色？」一席話說得我啞口無言。

五十年了，我們的罵人教育沒有改，我在小學時就是聽訓，一路挨罵到大學。被罵成習慣後，大家都練就耳邊風的工夫，左耳進，右耳出，掛免戰牌，不聽，但是心情仍然會不好，恨不得早點長大脫離苦海。大人從來沒有停下來想一想，為什麼一定要兇才罩得住學生，西諺不是說「蜜糖捕捉到更多的蒼蠅」嗎？帶人應該要帶心，孩子如果喜歡老師，那麼老師講的每一句話他都會聽到心裡去，心甘情願的去做；如果用打罵羞辱的方式，把孩子的自尊心消耗掉了，孩子會自暴自棄，自甘墮落，就算以後長大就業了，心中還是會覺得自己一文不值，做什麼都不夠好。這個傷痕歷久不消。更糟的是孩子會錯誤的歸因，把別人對他的排斥歸因到家窮，沒有勢力，被人看不起，而養成孤僻、憤世嫉俗的性格。

每個人都渴望別人稱讚，被別人接受，黑格爾（Georg Hegel, 1770-1831）說：「人類最大的渴望就是被人賞識。」所謂「士為知己者死，女為悅己者容」，荊軻刺秦王，以報答燕太子丹對他的賞識，其實荊軻是趙人，並非燕人，只是太子丹敬重他，他隨便說了一句馬肝好吃，太子丹便把自己的寶馬殺了，把肝獻給他，使他甘願為他犧牲性命。這正是黑格爾說的「動物為了食物可以冒生命危險，人類為了被賞識可以冒生命危險」，被人賞識、被人肯定的喜悅遠大於任何物質上的享受。我初中時，被老師指派去參加英文朗誦比賽，我當時並非英文特別好，但是老師賞識我，給我這個機會，從此改變了我的一生。

古人說一日之計在於晨，一早起來給孩子一個笑臉，他會有快樂的一天；一早就罵人，罵的和被罵的人心情都不好。老師如果用欣賞的眼光來看學生，就不會一直看到學生的缺點，用挑剔的眼光，雞蛋裡都可以挑出骨頭。人都有不安全感，尤其還未長大、還不知道自己是誰的時候，別人的讚美更是重要。

最近有研究發現自殘的孩子缺乏自尊自信，認為自己一文不值，不值得人愛，他們於是用最原始的方法來引起別人注意。自殘是孩子心中無助吶喊的外顯。如果是這樣，我們更需要用肯定的鼓勵替代否定的責罵，「良言一句三冬暖，惡語傷人六月寒」，給孩子一個笑臉吧！

※註：對於早上不起床的孩子，建議父母讓他遲到一次被罰後，他就明瞭早上起床上學是他的責任，不是父母的。

第6篇

手握緊，線放鬆

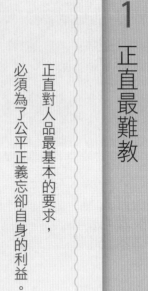

1 正直最難教

正直對人品最基本的要求，
必須為了公平正義忘卻自身的利益。

在孩子的品德教育中，最難教的是「正直」，因為正直不但包括明辨是非，還包括見義勇為，要有「千萬人吾往矣」的勇氣。一個正直的人是有所為、有所不為，「有所為」就是見義勇為，看到不對的事，挺身而出、仗義直言，這樣做常會危及自己的生命或利益，英文所謂的「whistle blower」就是揭發不法弊案的人。這樣做當然能贏得別人的尊敬，但是以下犯上往往要付出很大代價，因此我覺得做父母最難的就是教孩子如何拿捏這個分寸。

有一次有一個媽媽告訴我，她女兒國中的老師脾氣不好，考試成績若不在七十分以上，便把考卷撕碎，扔到地上，叫學生用嘴把考卷撿起來。她的女兒一向功課很好，本來不關她的事，但她覺得這種處罰是人格的侮蔑、太過分了，便站起來抗議。從此，老師就叫她去撿。她回家哭訴給母親聽時，母親來問我，是應該教訓孩子誰叫你多管閒事呢？還是該獎勵她敢仗義直言？

這的確是兩難，中國人一向是明哲保身，「個人自掃門前雪，休管他人瓦上霜」，但是我們也知道這是鄉愿，是中國積弱不振的原因之一，我們是社會的一分子，大家應該拿出勇氣改革社會的不公、不正，社會才會進步。我們應該獎勵孩子做了件有勇氣的正義事情，但是母親要去找校長，替她的孩子轉班，因為必須保護揭發弊案的人。

我父親曾說過，該做的事，就是殺頭也要去做，因為不做時，午夜夢迴，你會看不起自己。人生走到生命盡頭，最後面對的是自己。當不能決定一件事該不該做時，父親說，只問自己：若是不做，以後會不會後悔，若是會，再大的代價都得去做，因為一個人絕對不能讓自己看不起自己。

事實上，即便是「不為」也有風險，別人看你不肯同流合污，為了怕你告發，他會先把你做掉。一九五〇年代紐約有樁大命案就是一個新出道的警員不願和他的上級一起收妓院、賭場的保護費，被他的上級做掉，死狀極慘，引起全國公憤。這案子過了十年才破，破案後，全國轟動，造成後來的司法改革運動。

正直是我們對一個人人品最基本的要求，他必須為了公平正義忘卻自己自身的利益，因為這違反演化上動物生存的本性，所以我們對正直的人特別尊敬，給他很高的評價。教育的目的就是要超越動物的本性，不然人就無異於禽獸了。

2 每個孩子都是人類的希望

世界會因對孩子的用心變得不一樣，
你的一句話可能改變孩子的一生。

曾在看到報上刊載有位大學生在騙了獨居老人一生積蓄後，居然敢用手機自拍拿著錢得意揚揚的樣子，不禁令人血脈賁張，這個大學生囂張的行為已經到人神共憤的地步。我們的教育是怎麼了，怎麼教出這種厚顏無恥的大學生？

後來，我看到了另一種大學生，放棄享受，自願到偏遠地區幫助中輟生，使我對台灣的教育稍稍找回一點信心。這本書《山海日記》（心靈工坊出版）是一位替代役到花蓮秀林國中輔導中輟生的日記。他的經驗確認了我的看法，即，沒有不可教的孩子，尊重他，陪伴他，關懷他，孩子自然會依偎到你身邊來。

看到書中的孩子都是來自破碎的家庭，缺少家人的關愛，回家冷冷清清沒溫暖，「連夏天都會感覺到冷」，很令人難過。中輟生的問題出在家庭，沒有溫暖的家，怎麼留得住孩子呢？就算找回來，還是一定會逃走，因為外面的世界至少給他短暫的溫暖，雖然那是飲鴆止渴。作者說得好，在這個文明的社會裡，我們學會用語言向世界宣告自己的想法，不但要會說，還要說得漂亮。但是當人對符號愈來愈精熟、愈來愈依賴時，人也失去了與內心連結的能力，聽不見內心的聲音，不知道自己要什麼了，所以現代人空虛，隨波逐流。

對中輟生來說，如果沒有啟發他自身的覺性，沒有讓他看到生命的尊嚴與意義，只是給他們物質上的幫助，永遠也幫不了他們。幾年前有一部很好的電影《鯨騎士》（*Whale Rider*），就讓我們看到人不能被「豢養」，太舒服了會摧毀一個人的意志。毛利人每個月都有政府的津貼，所以不用做事，每天喝酒打撞球，頹廢的過日子，一直到一個女孩使他們覺醒，族人合力做了一艘祖先討海的獨木舟划了出去，才找回民族自尊心。

一個真正肯上進的人，不是要物質，要的是公平的機會和適時的援手。就像作者說的，一個優秀的獵人並不需要上天多給他什麼，一片蓊鬱的山林就夠了。

要改變一個中輟生，需要更多的人像這本書的作者一樣站出來，關心他們，尊敬他們，了解他們和我們一樣有智慧、夢想與尊嚴。中輟的孩子需要的不多，只需要有人願意聽他說話，把他們當做完整的人來看待。幾乎所有的中輟生都來自破碎的家庭，都渴望父母的愛，他們用激烈的手段表達心中的渴望，越是外表強悍的「酷」者，心中越是寂寞空虛，他們最想要的就是一個溫暖的家，一對願意聆聽的耳朵。對於第一個要求，我們無能為力，但是只要願意犧牲一點看電視休閒的時間，我們可以做到第二個要求。

很感謝那天看到《山海日記》，讓我發現在這冷漠邪惡的社會裡還是有像作者這樣的人。我常想我該怎麼做才能讓年輕人了解人是百代的過客，應該珍惜每一分鐘，使自己在短暫的一生中為社會留下一些東西。現代人每天汲汲營營，為名為利，沒有想到，百年之後誰管你穿的是什麼名牌、開的是什麼好車，這些都像肉體一樣，隨風而逝。

但是世界會因為你對一個孩子的用心而變得不一樣，心智的啟發是不能用金錢來衡量的，你不知道什麼時候你的一句話，改變了孩子的一生，他後來的成就造福了全人類。每個孩子都是人類的希望，不能放棄。

願以此與《山海日記》的作者共勉之。

3 積習難改的大腦證據

人的行為是大腦意念的外顯，心中強烈覺得不該做，行為就不會出現。

我小的時候，大人常說行為一次就要做對，養成壞習慣後，改不掉了，縱要改，也要花很大的力氣。我們都被告誡，「不聽老人言，吃虧在眼前」，從過去經驗也知道老人的很多話的確可靠，但是心中不免疑惑，如果積習難改，為什麼「除三害」的周處能放下屠刀立地成佛？這個悶葫蘆在我心中放了快四十年，一直到科學進步，可以在大腦中看到個別細胞活動的情形，才明瞭這是不同的大腦運作。

我們每次做某種行為，每次都會活化與該行為有關的神經迴路。早在一九四九年，著名的神經學家海伯（Donald Hebb, 1904-1985）就發現同步發射的神經元會形成緊密的連接（neurons that fire together wire together），我們大腦的皮質上有專門負責處理各個感官受體送進來的神經元，這些神經元在皮質上分布的情形叫「大腦地圖」，這張大腦地圖會隨著我們的經驗而改變，並不是像我們過去認為的大腦定型了就不能改變。

加州大學舊金山校區的研究團隊把猴子的第三、第四指頭的皮縫在一起，使它們在動時會同步動。才三個月，大腦地圖中第三和第四指的邊界就消失，變成一根指頭了。若把手指的縫線拆去，第三指動，第四指仍然跟著動，要經過特別訓練（只動第三指，綁著第四指不准動），它失去的邊界才會慢慢恢復。這實驗讓我們看到成年猴子的大腦仍有可塑性，可以因後天的經驗而改變大腦的地圖。

大腦和人一樣，會把常用的神經元放在一起以講求效率，如果把猴子的二、三、四指綁住，使牠進食時，只能用一、五指抓水果，三個月以後，五（小指）在大腦地圖中的位置就搬到一（大拇指）的旁邊了，變成一、五、二三四了。壞習慣難改的一個原因是，它在大腦地圖中已經佔據了一個空間，每次我們重複這個壞習慣，它又多佔據一些空間，而且因為它先佔了，就阻止了好習慣立足，造成劣幣逐良幣，非得許久不能重複壞習慣，再一直做好行為，才能慢慢用好習慣取代壞習慣的神經連接。

正因為大腦地圖的本質是競爭性、先到先贏的，所以童年的教育很重要；等壞習慣坐大，有競爭優勢後，再去拔除它就辛苦了。

周處能立地成佛，主要是他能從心中悔改，動用到前腦的抑制機制，這與生活習慣是兩種不同的機制，一個是生活上半自動化的歷程，一個是意識下決定性的行為。每個人生活上都有些壞習慣，它不會因為做了偉人而消失，這種半自動化歷程常會一不留神自己跑出來，這是父母嘴邊講的壞習慣；但是用心機、耍陰謀去害人就不是半自動化的歷程，辨是非、決定要不要做是另一種有意識的行為，兩者不同。

人的行為是大腦意念的外顯，心中強烈覺得不該做，這個行為就不會出現了。所以古人才會說「攻心為上」，心改了，行為就改了。周處本性良好，大徹大悟後，痛改前非，所以在歷史上留名。

對孩子生活上的壞習慣，如衣服隨地扔、東西不歸回原位，我們要從小教導，以養成整潔、物歸原處的好習慣。最重要的還是教他明辨是非，讓他從心中知道善惡，自己不願去做打家劫舍、殺人放火的壞行為。

4 培養同理心

培養同理心有兩種方式：
一是閱讀；二是體驗，從實做中感受。

最近參加了幾場親子座談會，發現很多父母抱怨孩子念到了國中還不懂得體貼，看到父母忙到飯都來不及吃，也不會自動伸手幫忙，好像對父母的辛勞視若無睹。我問：「那麼叫了會不會動呢？」父母答道：「會，但是不叫不會動。」叫了會做，表示不是不願做，只是不知應該做而已，那麼，為什麼會不知道呢？

這與同理心（empathy）有關，我們平日所謂的「體貼」背後的神經機制就是「同理心」。我們大腦中有鏡像神經元，專門模仿別人的行為，這個鏡像神經元就是同理心的來源。同理心是品德形成一個很重要的因素，它使我們了解當別人打我我會痛時，我打別人時他也會痛；當我不高興時，我臉上的表情使我知道，我看到這個表情時表示別人在不高興，因此我就避免做出使別人會痛、會有不高興表情的事來。

自閉症孩子的問題就是出在鏡像神經元系統上，同時他們大腦中處理面孔表情的地方也與正常人不同：我們是梭狀迴（fusiform gyrus），他們是下顳葉區（inferior temporal gyrus），而下顳葉區是我們正常人處理桌子、椅子等沒有生命東西的地方，所以他們對別人的表情不太能了解，對別人的痛苦無動於衷。

我們的祖先能夠和諧的團結在一起，共同抵抗野獸的攻擊，同理心功不可沒。事實上，研究發現連動物都有同理心，有個實驗是讓一隻飢餓的猴子和一隻綁在儀器上受電擊的猴子同在一間實驗室內，這隻飢餓的猴子每吃一口食物，旁邊那隻猴子就遭受一次電擊，實驗者發現猴子一旦知道這個關係後，牠就不吃了，牠寧可挨餓也不忍同類因牠而受苦；在育嬰房內，剛出生的嬰兒只要一個哭，全體會跟著哭。因為他們才剛出生，完全不懂事，所以科學家認為同理心是本能，是演化來幫助群居的動物和諧相處的。

著名的靈長類學家狄瓦爾（Frans de Waal）指出：「同理心有很多層次，我們與很多動物都共享同理心的基本核心。」他的看法真是對極了。俄國一位靈長類學家科茲（Nadia Kohts）曾經養過一隻黑猩猩，當黑猩猩爬到屋頂上不肯下來時，科茲就坐在地上假裝哭，黑猩猩聽到哭聲就會立刻從屋頂上爬下來，在她旁邊跑來跑去，看看是誰把科茲弄哭了，並會用手撫摸科茲的臉安慰她。孔子說「聞其聲，不忍食其肉」，也是同理心的意思。

培養同理心有兩種方式：一是閱讀，透過書中人物的感受而體會到他的痛苦；另一個是體驗，從實做中感受。目前因為智育掛帥，升學壓力的關係，孩子既沒有時間親身體驗，更沒有時間看小說，因此現在孩子比較沒有同理心，不會設身處地替別人想，也就感受不到父母的辛勞了。

5 人格的養成

人格的培養需從日常生活、父母的身教言教、書本中建立正確的價值觀。

最近喜宴連連，在一個結婚酒席上我看到新娘子的姪女，臉色蒼白，精神萎靡不振，完全沒有少女的活潑，連吃飯都有氣無力，好像筷子太沉重拿不動似的。我勸她的媽媽不要讓孩子補太多習，身體要緊，她說：「我也是無奈何呀，現在資訊翻得那麼快，要念的東西那麼多，補都補不完，哪裡還敢不補，你可不可以告訴我，哪些是孩子必須知道的東西，我就只補那幾科好了。」我說：「孩子出社會後真正要用到的東西是補習班中補不來的。」她瞪大了眼，不相信的望著我。

我說的是真心話，人生比較重要的東西都是金錢買不來的。重複練習當然會增加知識的表面記憶，但是做人最根本的風度、素養、人格和情操卻是補習補不出來的。知識在吸收後必須經過時間的沉澱，再加上自己的領悟才慢慢轉換成內涵，最後才會變成一個人的風度和涵養，誠於中，形於外。這些需要時間才能成長的東西，我們現在不重視它，反而把所有的時間投在強化應考科目上，其實是有點捨本逐末了。

在二十一世紀資訊爆炸的現代，我們無法預測孩子畢業後會用到什麼樣的資訊和技能，因為世界變動得太快了，人不能未卜先知，看不了那麼遠。就像以前沒有人知道什麼叫「奈米」，這個名詞還沒有誕生，即便是十幾年前，我們也不知道它現在會如此的紅。做父母的既然不可能讓孩子讀遍天下的書，唯一的方式便是替他打下個堅固的背景知識基礎，使他在新知識出來時，可以有個往上爬而不會搖搖欲墜的鷹架，再給他一個正直的人格，使他受同儕的尊敬。風度和教養則是蛋糕上的奶油，使同儕喜歡他，願意跟他合作。有了上面的條件，再新的知識挑戰他都不怕了，因為他有了應對的工具。

有個企業界的大老闆對我說，他任用新進人員以誠信為原則，人品好才談其他的條件，因為技術不會他可以教，但是人品不好他無法改。看到理律律師事務所的貪污案，我可以了解為什麼現在任用新人時，對人品的要求比以前更高了。「養老鼠咬布袋」是任何企業的大忌，看到企業對人才需求的第一要求是「人格的完整性」時，我們的教育怎麼還是背其道而行，還在製造只會念書的孩子呢？

人格的培養需從日常生活中建立合乎禮儀的待人接物方式，再從父母的身教言教中明辨是非，最後從書本中建立正確的價值觀。這是一個緩慢的歷程，因為它需要經過內化才能成為孩子自己的人生觀。其實大部分補習的東西是零碎的知識，是他以後用不到的，與其讓孩子補得精疲力倦，何不停下來想一想他的人生要做什麼，確定了目標再走，可以節省許多冤枉路。

一個孩子只要願意學、有動機，再難的功課也可趕得上來，但是品德偏差了，再好的技術，別人也不敢引狼入室，這點值得父母三思。

6 手握緊，線放鬆

自己不動手卻希望會有好的結果，
基本上是不可能的。

有天車子經過河堤，看到幾個人在堤外放風箏，有蜈蚣的，有大鳥的，拖著長長的尾巴，在天空飄揚，非常好看，不禁使我想起小時候放風箏的情景。我生在民國三十六年，那時物質非常的缺乏，小孩子一般是沒有什麼玩具可玩的，我們多半是跟人玩，同年齡的、上下年齡的、同一條街的、隔壁村的，不像現在的孩子連住同棟公寓的都不認得。人的點子是無窮盡的，所以從來沒有玩「完」的時候。

所有玩的東西都是就地取材，風箏也不例外，我們用竹篾做風箏的骨架，上面要糊一層薄薄的紙，但是當時紙張很缺乏，不要說彩色紙，連綿紙都無，我們是用好幾張日曆（以前的月曆紙很薄，不是現在的銅版紙），接起來用漿糊黏好，有了這張紙，風箏才能御風而行。最辛苦的就是要去找一條很結實的長線綁住風箏尾巴，在當時，大人連線頭都不丟棄，是留起來，一段一段接長了有正途可用，所以做風箏最辛苦的是做完了沒有線可放，常要到處找替代品，尼龍那時應該已發明了，但是我們還沒有看過，我們是用細麻繩，運氣好，可偷到綁粽子的棉線。

那時，人人都會做風箏，不像現在孩子是用買的，自己做的飛起來時心中的得意是無可比擬的。我們通常去螢橋下的空地放，因為放風箏時要跑，大人很怕孩子只顧望著天上的風箏跑，會撞到電線桿（那時車子不多，撞電線桿的機率遠大於撞車）。

現在回想起來，從放風箏中我們學到很多做人的道理，只是當時並不曉得。第一，做風箏時不可偷工減料，它是確確實實的一分耕耘一分收穫，馬馬虎虎做的風箏是飛不起來的，所以我們很早就從遊戲中學會要怎麼收穫先得怎麼耕耘。

第二，放風箏時，先得跑一段風箏才飛得起來，即使風很大還是得跑，站在原地不動風箏是上不來的；也就是說，自助、人助、天助，天下沒有不勞而獲的東西。自己不動手卻希望會有好的結果，基本上是不可能的。現在有一句話「你不理財，財不理你」，道理其實和放風箏是一樣的，你一定要先投入心力才會有收穫。

第三，風箏要飛得高，線不能拉太緊，這個道理在放風箏時人人都懂，但用到生活上，卻是要等到結婚有了家庭之後才了解這個意義。人都不喜歡被人管、被人控制，但是孩子又不可放任、必須管，父母對待孩子的方式其實就很像放風箏，線要握得緊，但又要拉得長，給它足夠的空間往上爬卻又不離開你的掌心。

要做到這一點，需要相當多的親子溝通技術與察言觀色能力。比如說人都不喜歡別人潑冷水，因此，當孩子興沖沖來跟你報告他的得意傑作時，請先不要否定他的表現，先試著從他的觀點來看有無可取之處，父母一般比孩子至少大二十歲，這個年齡差距（先不說代溝）會使雙方看事情的角度不同；角度不同，就會「**橫看成嶺側成峰**」（出自蘇軾〈題西林壁〉），但是它其實是同一個東西。如果父母沒有給孩子一個機會解釋為什麼他這樣做就先否決他的做法，孩子很快的就學會任何事情不告訴父母，免得掃興。

因為孩子不肯說，做父母的就會越想知道，越追問，孩子嘴巴就閉得越緊。

這時就像風箏，一個要飛，一個拉得緊，如果線經不起拉就會斷，風爭就飛上九重天，再也看不見了。所以中國才會有句俗話「斷了線的風箏」表示從此無影無蹤了。我們在報上看到有母子同住一個屋簷底下，但是一方已死亡兩天，另一方居然不知道，這種親子關係令人扼腕嘆息。

放風箏很有趣，但放不好，線斷了，所有的心血為之泡湯，帶孩子又何嘗不是呢？放風箏的好手會告訴你，他的訣竅無他，手握緊，線放鬆，只有放長線才能釣大魚，只要放手讓孩子飛，才會有成就。

7 教孩子自尊敬人

家應該是個溫暖的窩，
不應該是大眼瞪小眼的地方。

最近參加了好幾場親子座談會，發現父母有個共同的困惑：孩子愈長大愈不聽話。小時候還叫得動，愈大愈抗命，講不聽，叫不理，我行我素，令父母很頭大。有對父母甚至說不如當初不生、當初不養，可見父母的挫折感。

造成這種行為的因素很多，每個家庭不一樣，但有一個共同的原因就是孩子對父母失去尊敬。這個尊敬不是決定於財富和權力，很多有錢有勢人家的孩子對父母講話一樣的不禮貌，目前政府有位閣員就管不動他的孩子，更有一個董事長說：「我在職場呼風喚雨，每個人都聽我的，只有我的孩子不聽我的。」談到他的孩子，老淚縱橫。對還不知世道艱難的孩子來說，金錢真的不及父母的陪伴和關心來得重要，一個尊敬父母的孩子是不敢對父母行為放肆的，一個溝通良好的家庭是不會有青春風暴期的。

我們常在醫院中，看到窮苦人家出身的孩子不分晝夜的照顧父母，一下班，飯都來不及吃，就先到醫院來探望父母；倒是有錢人家的孩子很少出現，都是菲傭或特別護士在看顧。我父親住院時，隔壁床是個賣肉的屠夫，他的子女天天來陪伴，不因父親的職業而感到羞恥，反而感念父親摸黑起床上工讓他們都完成了大學教育。

孩子說他父親童叟無欺，從不偷斤減兩，所以賣了三十年豬肉，生意很好。現在是因為洗腎來住院，住院時還掛念市場的流浪貓，因為肉鋪多少有些剩餘的肉屑，常去餵那些可憐的貓，「一枝草一點露」，貓也是一個生命。父親平常的行為令孩子看到父親的為人和愛心，職業本來無貴賤，只要行得正、坐得端，孩子一樣尊敬你。

美國最近有篇報告發現，領社會救濟金的單親母親出去上班工作後，她的孩子功課反而更好。這點完全出乎研究者的意料。美國法律規定救濟金不可領超過五年，並且必須以工代賑，接受救濟者得去外面做工。一開始時有人反對，擔心孩子無人照顧會變壞，想不到這個研究追蹤了二四〇二個單親媽媽三年之後，發現十到十四歲的孩子不但沒有受到母親外出工作的影響，成績反而變好（二四〇二是很大的樣本群，在統計學上樣本群愈大，可信度愈高）。研究發現他們原來的焦慮、沮喪的症狀減少很多，喝酒和吸毒的比例也下降了。

經濟的改善本會改善孩子的成績，研究者發現母親出外工作，使家庭收入增加固然是一個原因，但最主要原因還是工作帶來了自尊，使孩子在同儕間抬得起頭，自尊帶來自愛，行為因而得到改善。很多人不了解校園文化的殘忍性，一位老師告訴我，最近景氣不好，有個孩子的父親失業繳不出午餐費，但他還是允許她吃午餐。當這個孩子去拿飯菜時，有位同學大喊：「老師，她沒有交錢，不可以吃我們的飯！」女孩子當場哭起來。孩子不懂事，說話不知輕重，常說出非常傷人的話來，使領社會救濟金的孩子因自卑而自暴自棄。因此，研究者認為自尊是自愛的先決條件，這兩者都是成績上揚的主要原因。

同時母親的辛苦工作也使孩子感恩，願意好好讀書以報答母親早起晚睡的辛勞。研究也發現職場的要求使得母親衣著整潔、行為檢點、談吐得體，這些都改善孩子對母親的觀念，增加親子之間的敬意。孔子說「不敬何以別乎」，「敬」真是人際關係中最重要的一環，夫妻如果能相敬如賓、舉案齊眉，就不會吵架。教育整個歷程說穿了就是教孩子如何獲得別人的尊敬——從品德上、知識上、做人上得到別人的尊敬，能做到這一步，這個孩子的教育就成功了。

在現代，要贏得孩子的尊敬，除了自己的言行要一致之外，還必須和孩子同步成長才行。現在新資訊大量湧出，如果不是一直進修，很快就會與時代脫節，有位母親向我哭訴說每次她給孩子任何忠告，都會被孩子以「你不懂啦！」頂回來。其實父母不是要變成什麼萬事通，而是一定要多看書、跟得上時代，始終保持你在孩子心目中領先二十年的距離。著名心理家學貝露姬（Ursula Bellugi）在她父親八十歲生日時說：「小時候覺得父親是神，什麼都懂，長大後發現他原來是人，不過他是個什麼都懂的人，到現在還是領先我。」做父親的能讓孩子這樣的服氣，孩子跟他講話的口氣自然就客氣有禮貌了。

古人說「家和萬事興」，家應該是個溫暖的窩，不應該是大眼瞪小眼的地方。古人又說「種瓜得瓜，種豆得豆」，把時間花在孩子身上，謝絕外面的應酬，回家陪孩子吃飯，欣賞他的長處，改正他的短處，好好把他教養長大，他自然會用孝順來回報你。等你老了，需要他陪伴時，他會把你當年陪伴他的時間，加利息還給你，這時你的人生就沒有遺憾了。

8 品格培養從小教起

當孩子養成良好品德後，會成為社會中堅份子，誠實的過一生。

最近政壇上幾件重大弊案，讓品格的重要性再度浮上檯面，其實八百年前，但丁就說過：「道德可以彌補知識的不足，知識無法填補道德的空白。」我們過去過度重視智育，現在付出了代價。

品格是一個人最重要的東西，大仲馬在《基度山恩仇記》中說，只有血洗得掉品格的污點，所以一位紳士（gentleman）名譽受到污蔑時得去決鬥。在當時的社會，一個人的品格若有污點，他只有自殺或放逐兩條路，因為社會上已無他立足之地。南宋洪邁在《容齋隨筆》中也說：「**一點清油污白衣，斑斑剝落使人疑；縱然**

洗遍千江水，不似當年未污時。」所以無論中外都是用生命在維護名譽，怎麼會想到現在名譽這麼不值錢，做了壞事被人唾棄者依然大搖大擺地吃香喝辣，已經被押判刑了還敢大聲嗆聲，死不認錯，令人感嘆。但是如果這些弊案能讓父母看到品格的重要性，對國家也是一個轉機。

內隱的學習影響深遠

品格的培養是一種內隱的學習，是長期模仿、觀察，內化的結果，它是個潛移默化的歷程，無法立竿見影，一蹴而就。中國人說「三歲定終身」，三歲的孩子還未進學，它所指的不可能是「智」方面，但宅心是否忠厚、會不會替別人想、懂不懂禮貌，三歲就可以看出來了。所以「三歲定終身」應該講的是孩子的品格，品格不好，知識再好，誰敢用呢？

因此教育孩子的重點應該是生活習慣的養成、敬業的態度和待人接物的禮儀，而不是斤斤計較考試考了多少分，讓孩子誤以為功課好就可以為所欲為。我們一直極力想打破分數迷思，家長應該知道分數只是評量的一個方式，它不是唯一的方式，而且甲校的一百分可能只等於乙校的五十分，成績好不等於能力好。若能打破國人「考試最大，分數至上」的觀念，父母就可以有更多的心力注意到孩子的品行上；沒有分數的壓力，台灣的孩子也會快樂很多。

前面提到內隱的學習，要了解人格形成的神經機制，必須先了解記憶的本質，因為人是記憶的產物，我們過去的經驗，不論多微小，對我們今天的人格都有影響，而影響的機制就在記憶。

我們的記憶可分兩種，一為內隱的，一為外顯的。前者為不知道什麼時候學的，也不知道怎麼學的，如騎腳踏車，這種記憶就是得了失憶症也不會忘掉；後者為特意去學習的，如昨天把車子停在巷口，前天考試一百分等等。研究者發現失憶症病人可以與別人對談，知道物體名稱（他可以說「杯子在桌子上」），也可以學拉小提琴，但是他們對大腦受傷後曾經做過的事就完全沒有印象，記不得了。

二〇〇〇年得到諾貝爾生醫獎的哥倫比亞大學教授肯戴爾，就是因為研究記憶的神經機制而獲獎，他讓我們知道內隱和外顯是不同的機制，而人格是內隱的，它直接儲存在神經連接的突觸上，即使得了失憶症，人格也不會有改變。

知道了記憶本質後，我們還要來看一下學習的神經機制，一九九二年實驗者在猴子的大腦中發現了鏡像神經元，即猴子看到別人拿東西吃時，牠自己大腦中做那動作的部位也會活化起來。「模仿」是最原始的學習，中國人說「見人吃飯喉嚨癢」，就是這個道理。我們以前成語說「東施效顰」，譏笑東施看到西子捧心，惹人憐愛，自己也去皺著眉，說心痛。其實從神經學上來看，這是很合理的，在演化上，一種能取得食物、帶來好處的行為大家都會模仿，這是股市一窩蜂跟進最主要的原因，同樣的「殺雞儆猴」也很有效，看到有人偷竊，左手被砍斷，自己以後也不敢偷，這是大腦的機制在作用。

所以一個孩子看到同學做某件事得到老師讚揚，他也會想去做；同樣的，他看到別人做壞事沒有得到懲罰，反而有好處，他也一定會跟著做。這是為什執法要嚴，法律的執行若不澈底，反而增加賄賂機會；賞罰一定要公，不然紀律不能維持，因為相互比較和模仿本來就是人的本性。

幼兒教育重在人格培養

知道了人學習和記憶的本質，我們就了解幼兒教育對人格成長的重要性。零到五歲正是神經連接速度最快的時候，五歲兒童大腦的活化程度是成人的兩倍半，他們急速的吸收訊息，修改自己的行為以適應外面的世界。這段歷程，就是發展心理學家所謂的調適（accommodation）和同化（assimilation），納入外界訊息做為修改自己行為的榜樣，修改自己行為以適應外面世界。

幼兒教育不是教識字，它是教品德，古人雖然不知道大腦裡的神經機制，但是從生活經驗中，他們看到了兒童行為養成的原因，知道身教的重要性。所以有很多的成語（成語是前人的經驗和智慧）都教導大人要「以身作則」，如不然會「上梁不正下梁歪」，也告訴我們孩子模仿的對象不只是父母，還包括環境中一切的刺激，所以孟母要三遷，孔子要說「里仁為美」、「蓬生麻中不扶自直」，這些都是很正確的教育孩子方式。

但是在講求速度、生活享受的後現代生活就不是這樣了，全力去中國化的結果是自己好的丟棄了，別人的長處又沒有學習到，有父母以為要做孩子的朋友才是現代的父母，殊不知孩子先要尊敬父母，才能受教，目無尊長、沒大沒小時，父母的話也就可聽可不聽了。

最重要的是，西方國家看到教育孩子的時機要趁早，所以鼓勵家長在家中自己帶孩子，政府補貼母親沒有去上班少賺的錢，更鼓勵父母假期帶著孩子一起外出，一起體驗生活。他們很少說孩子只要唸書就好，別的不要管，因為只有從看到別人怎麼做事情，才有模仿的對象，才能由經驗中體驗出道理來。但是因為人的生命有限，我們不可能用有限的生命去學習外面無限的東西，所以歐洲國家鼓勵閱讀，將前人經驗內化成自己的。

閱讀對品德的重要性，在於它是從故事中教孩子做人的道理。故事不是事實，但它是真實，孩子從真實的故事中，模仿主人翁的行為，而這行為是父母、老師、社會所允許的。故事的好處是它不是說教，它是從細膩的故事描述中使孩子感同身受，從而產生共鳴，使故事主人翁的行為變成孩子模仿的榜樣。又因為孩子喜歡一而再、再而三的聽同樣的故事，這故事所要傳達的意義便深植孩子心中，達到教化的目的。

有一位媽媽說，她常從孩子的一舉一動中看到某個故事書中人物的影子，當電視劇《楚留香》在流行時，一個幼稚園五歲的孩子跟他的母親揮手再見，嘴裡說出來的是：「後會有期。」人格就是從這些周遭刺激中一點一滴培養出來的，「近朱者赤，近墨者黑」是很有道理的。

事實上，父母都知道，現在的社會人際關係及做事的態度最重要，而這兩者都建立在人格上：有好的品格才會交到好的朋友，有敬業的態度才能做出大的成就。從人類的歷史看來，不論什麼時代，只要是人的社會，基本的核心價值都不曾改變：忠誠、正直、公平、正義還是做人的根本道理。交到好的朋友在事業上才有幫手，而有好的態度才會交到好的朋友，做人態度其實是人際關係的根本，孔子說益者三友「友直，友諒，友多聞」，直、諒其實就是人的品質，只有多聞才是知識。

花時間建立好習慣一生受用

我常不了解父母親為什麼肯起早睡晚的賺錢，再開車接送孩子去上昂貴的補習班、才藝班，卻沒有花時間在教導孩子的品行上。這是捨本逐末，因為直接影響孩子成功的是他的人品，不是他的知識。現代知識翻新得太快，在學校學的，出了社會後早就用不到了。沒有從小把孩子教好，孩子進了國中，智慧漸開、身體漸壯後，父母便覺管教不動。這根源於孩子小時候，父母沒有把誠實、尊重、勇敢、相信、謙虛、毅力等基本的做人道理教給他，時間都拿去補習拚分數，等他長大威權行不通時就不服管教了。

這也是北歐國家希望父母在家裡自己帶孩子的原因，行為一有不當要立刻矯正，不可等壞行為變成壞習慣，等小偷變成大盜就來不及了。若是壞習慣已養成，僅是禁止是無效的，需要用另一個正確的行為去取代壞的舊行為。例如在選舉時，街上常有人用擴音器大聲播放你不想聽的音樂，當這個音樂進入你的大腦後，它便活化了儲有這首歌的神經迴路，於是這首歌就在你的腦海中唱起來了。如果你不要再聽它，最有效的方式就是立刻播放一首你喜歡的歌，這時，新的取代了舊的，你就不再聽到原來的歌了。

用好行為取代壞習慣可能要花一些功夫，但是持之以恆，可以成功。我們看過很多成功例子都是放大孩子的長處，用長處把短處帶上來。所以品德的教養是從小透過生活經驗和故事，讓孩子知道什麼是對的行為，什麼是錯的。當觀念建立後，行為就跟著出現，因為行為本來就是內在意念的外顯。

從小念故事說故事給孩子聽還有另一個好處：可以訓練孩子的專注力。一位朋友說，過年時，她一個人要燒一家人吃的團圓飯，忙得不可開交，便請她婆婆念故事給兩歲和四歲的孩子聽，想不到過了一個多小時，飯菜燒好後，孩子還安安靜靜地坐在沙發上聽故事，她說她不曉得這麼小的孩子可以有這麼長的專注力。事實上，我們發現孩子可以有專注力，只要這個東西是他所喜歡的。我曾經看過一個三歲的孩子全神貫注在看螞蟻搬家，低頭看太久了，重心不穩就翻了過去。所以讀書給孩子聽，不但教導他做人做事的道理，還能訓練他的注意力、想像力和邏輯思考能力。

由於作者和讀者不在一個時空線上，所以故事一定要有邏輯性，讀者才看得懂，無形中又訓練了孩子的邏輯性，這是漫畫無法取代的。漫畫看得多的孩子思想是跳躍式的，因為漫畫只有四格或八格，當它要呈現一個故事時，必須只取重點，犧牲了很多中間的聯接細節，因此，美國對三年級以上的孩子不鼓勵看漫畫，他們教育部長有一句話講得很好：「一、二年級是 learn to read（學習閱讀），三年級以後是 read to learn（用閱讀做敲門磚打開人類知識之門）。」

今天談品格培養，我們必須了解它是一個從小就得教的歷程；它得在生活中慢慢養成，就像品味、風度一樣無法走捷徑，不能去補習班得來；它的核心價值觀必須持久不變，不然孩子會無所適從；這個核心價值觀必須透過生活中的例子或故事中的情結深入孩子心中並明朗化，它不能是抽象口號或教條。

當一個孩子養成良好品德後，他會像岳飛、閻海文、高志航一樣盡忠報國，他會像諸葛亮、孫運璿、李國鼎一樣，鞠躬盡瘁，死而後已；最重要是，他會成為一個社會中堅份子，誠實的過一生。

第7篇

閱讀：給孩子的最佳禮物

1 有興趣才讀得好

沒有人可以替你讀書，
孩子一定要想讀、有興趣才讀得進去。

一個在高中教國文的朋友，她的孩子在今年的基測作文中只有考二級的分數，她大為憤怒，決定易子而教，要孩子去補習班補作文。孩子堅決不肯，兩人鬧得很僵。

我問孩子為什麼這麼討厭作文，他說他寫的作文沒有一句話中老師的意，都是紅筆一路槓到底，他母親尤其槓得厲害，除了「的」，沒有一個字是他原來的話。我讓他把作文拿來給我看，發現這孩子其實很有思想，只是缺乏表達的方式，例如他母親在他作文上批「狗屁不通」四個字，他在底下寫著「屁是一陣風，如何會不通？」我想他是課外書看得不夠，所以文字的掌握不精確，只要暑假多看些書就可以了，所以建議他母親把補習班的報名費拿去買書給他看。

不過對一個到了國中仍然沒有養成閱讀習慣的孩子，父母一開始時一定要陪著看，即兩人同看一本書，透過討論引發孩子的興趣，把孩子帶進閱讀之門，養成閱讀習慣後，作文就是康莊大道了。

孩子高高興興的走了以後，我才想起忘記囑咐他母親改作文不可以一路槓到底，這會讓孩子覺得他的話沒有一句是好的，失去信心就失去興趣，沒有興趣自然就討厭作文了。在《唐祝文周四傑傳》中，有一段把這個道理闡述得非常好：

唐伯虎為秋香賣身到華相國府中做書僮，華相國的兩個兒子作文一塌糊塗，原來的師爺教了三年一點也無長進，但是唐伯虎只教了三個月就開竅了。因為原來的師爺邊改邊搖頭，一枝紅筆全部刪得一字不留，學生當然就痛恨作詩了。唐伯虎的做法不同，他先揣摩學生想要講什麼，然後替他換掉幾個字，讓學生看到為什麼換個字意境就升高了。

例如學生作了一首詩：「花影日頭溫，花影水腳冷。其花比其人，同此冷溫境！」唐伯虎換了七個字就把這首詩改成一首好詩：「**日上花影溫，月來花影冷。將花比世人，同此炎涼境！**」學生於是學到為何相同的詞不要一直出現，要換同義詞避免重複。又如學生作「雨後看雲」的詩：「今朝隔壁雨霏霏，坐在新晴一釣磯。太上老君何事急，白雲歸去馬如飛。」唐寅只換了幾個字把它改成：「**山中隔夕雨霏霏，今日新晴坐釣磯，天上不知何事急？白雲如馬逐空飛。**」這首詩就通順了。學生要說昨夜雨霏霏，但因為是七言絕句，便用「今朝隔壁」替代「昨夜」，於是就變成不通了。

這正是為什麼要作文好，只有多讀書沒有其他捷徑。歐陽修說作文只有「看多、做多、商量多」是很對的。

在教作文裡，也悟出教學的道理：在美國，我們都是要學生做給我們看，而不是我們做給學生看，尤其在教數學時更是如此。因為只有學生做給你看，你才知道他的癥結在哪裡，一解開，問題就解決了。但如果是我們做給孩子看，孩子不懂得我們的心路歷程，他只會將答案抄上去，效果就不好。以前我父親常說，沒有人可以替你讀書，其實是很對的，孩子一定要想讀才讀得進去，教任何學科都是要先了解孩子的想法，用鼓勵的方式，從旁指引便會成功。

2 林語堂的一年十萬元讀書法

要提升台灣的文化產業，其實非得從閱讀下手不可。

報載台灣約有百分之六十四的青少年每週閱讀課外讀物不到一小時，看到這篇報導，使我想起很久以前林語堂講過一個提昇閱讀的方法。

林語堂說每個學生每一學年交一百元，一千個中學生就有十萬元可以買書了。由學校預備一間空屋，置備書架，扣五千元做為辦公費（他說再多便是罪過），將九萬五千元的書放在那房間裡，隨學生翻閱。年底拈鬮分配，每人拿回九十五元的書，只要所用的功夫與上課時間相等，一年之中，學問的進步必非一年上課的成績可比。

林語堂主張隨興之所至閱讀，有沒有人指導，不求甚解，他都覺得無妨，因為十萬元書中總能找到一本愛讀的，知識是相通的，一通萬通。他認為所謂大學生，不過是博覽群書的人（be a well-read man），有了基礎知識才能去學專業知識。學生不僅精讀（本科），更重要是廣讀，兩年之內，若是讀了二十萬元的書籍，即便是隨意翻覽，知其書名、作者、內容大概，也就不愧為一個讀書人了。

對於學校常規定某些科目必須要多少分才可以升級，他不以為然，說憑什麼邏輯非八十分、心理學非七十分不可，學問可以稱斤兩的嗎？邏輯學看了一百頁講義就懂邏輯了嗎？如果都是考八十分，那麼兩個學分的邏輯與別人三個學分的邏輯所學到的是相同嗎？林語堂認為現行的制度是機器化在大量製造學士，不是在教學生，造就讀書人。

當時我看了覺得很好笑，認為他是異想天開，現在年紀大了，教了很多年書了，回想他當年講的話，其實不是沒有道理。今天修滿一百二十八個學分畢業的學生肚子裡究竟有多少東西呢？尤其現行的教學考試把學生的興趣都扼殺掉了。讀書必須深入，才不會人云亦云，先從有興趣的著手，由一個有興趣的問題一直追究下去，從看一本書而不能不去看十本書，如此循序而進，最後登堂入室，進入學問之門。由這種方法去讀書的人會樂在其中，讀起書來，不知東方之既白。

現行的讀書方式，真是像林語堂說的「如東風過耳」，老師隨講，學生隨忘。他說讀書與入學是兩回事，因為後者是拿學分去向學校換文憑，他說這是「大量製造」（mass production），把學問變成一個公然交易的商品。

面對林語堂的批評，我們很汗顏，因為從他講這些話已經過了近七十年，學生讀書的目的仍然是學位，仍然是拿學分在換文憑，多少頁的講義等於多少分，修完課，全數還給老師，船過水無痕。最近看到林懷民在報上呼籲重視文化，又看到余秋雨說台灣的文化能量被巨大的政治力吸納走了，很是擔憂。文化不能成為政治工具，時常有政府官員要求小學生要有正確政治意識，課本要去中國化，其實是危險的事。文化是由內而外，誠於中、形於外的東西，不是口號、包裝可以得來的。

林語堂的一年讀十萬元書現在或許做不到，但是要提升台灣的文化產業，其實非得從閱讀下手不可。其實仔細想一想，也不見得做不到，從小開始培養閱讀習慣就是踏出第一步了。

3 想讀，知識才進得去

父母若能以身作則，孩子自然會養成閱讀的習慣。

上週去美國開會，見到許多以前教過的學生，承他們美意，每個人燒一道菜，大家聚餐來替我洗塵，也順便看一下他們的家人。我很高興看到當年包尿布的小不點，現在都已經長大會開車了。我特地跟他們聊一下，問他們這個暑假做了些什麼事。想不到這一問，打開了潘朵拉的盒子，每個人都跟我抱怨父母強迫他們閱讀。原來美國看到當不需要技術的產業外移後，剩下來的產業必須是技術性的，而要提升技術性的產業水準、保持國家的競爭力，就必須提昇國民的品質，也就是提升教育水準，因此，美國正大力推閱讀。父母列出書單要孩子照單閱讀，尤其是中國的

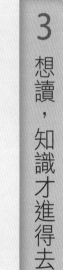

父母，讀不完扣零用錢，使得孩子把讀書當苦差事，看在錢的份上，不得不忍耐著讀，扼殺了閱讀的興趣。

其實閱讀最重要的是有讀進去，不是眼睛掃描過那些字而已，所以不能用高壓政策。不要指定他一定要讀某一本，先引發孩子的動機，等他入了門，開始領略到閱讀之美時，再逐漸介紹他看經典的大部頭書。尤其男生和女生喜歡的種類不同：女生喜歡看故事類，男生喜歡非故事類。給他們一點自由，帶他們去圖書館隨他們挑，萬一看一看，不愛看時，不要強迫孩子一定要把書看完，可以讓他換，一直換到他喜歡的為止。

有始有終固然是好習慣，但是有些地方不適用，就像強迫孩子一定要把飯吃完會撐太飽胃痛，不愛的東西硬塞下去是件很痛苦的事，天下書那麼多，不可能全看完，何不挑自己喜歡的享受，硬要去讀那吞不下去的書呢？讀書在某些方面和飲食很像，有很大的個別差異：有人愛吃肥肉、有人愛吃瘦肉。所以先讓孩子與書接觸，再讓他去讀諾貝爾獎的巨著，讀書最重要的不是讀了什麼，而是讀進去了什麼。

伊蓮娜・羅斯福（Eleanor Roosevelt, 1884-1962）說：「就長期而言，重要的不是你讀了什麼，而是你內心的改變，因閱讀而產生的想法和感覺是讀書的目的。」也就是中國人所謂的「讀書變化氣質」。要做到這一點，孩子一定要先喜歡他所看的書，這本書才會對他產生影響，才能改變他的思想和氣質。扣零用錢是下下策，對行為有效，對實質無益。

父母一定要記得，讀書如果只用眼睛而沒有用腦，那是無效的。愛迪生（Joseph Addison, 1672-1719）說「運動健身，閱讀練心」，運動要動到流汗才有用，閱讀也是要讀到變化氣質才有用，要理解，要靠大腦，要孩子心悅誠服的想讀，知識才進得去。書的可貴不在論述而在啟發，就像音樂會動人，不在旋律而在迴腸盪氣。父母了解這一點，就不會強迫孩子去讀不喜歡的書，把時間浪費在做不愉快又不受益的事上。

培養閱讀最好的方法是挑一本孩子喜歡看的書（此處的書不是漫畫書，三年級以後應該閱讀文字了），和孩子一起讀，把他的動機引起來。天下的孩子都是希望取悅父母的，尤其小的時候更是喜歡模仿大人所做的事，父母若能把握住這一點，以身作則，孩子自然會養成閱讀的習慣，假如孩子在休閒時，自己會拿書起來看，你對他的教養就已成功了一半，因為你已替他們開了人類知識之門。

4 時時皆可親子共讀

我們常忽略聽故事的重要性，
聽故事對孩子是打開想像力之門。

很多父母常抱怨沒時間念書給孩子聽，我看到的卻是很多可以念的機會父母沒有把握住。前幾天在火車上看到一個幼稚園左右的孩子，因不耐久坐，大聲吵鬧。母親眼睛閉上，充耳不聞，父親則一直哀求女兒不要吵，當然這種哀求對孩子產生不了作用，她繼續吵。

我很驚訝這對父母竟然赤手空拳，什麼哄孩子的東西都沒有帶就上火車了。每個做父母的都知道，這個年齡的孩子不可能要求他安安靜靜地坐五個小時而不吵鬧，父母應該備有玩具、蠟筆、紙和圖畫書，讓孩子有事做；孩子有事做就不會吵，就像學生上課有興趣就不會不專心，與其怪孩子，我倒覺得大人應該檢討一下自己。

其實坐火車是親子共讀最好的時候，車上的時間不太能做什麼事，但是可以把孩子抱在腿上，小聲讀書給他聽，一方面讓孩子享受被抱在懷裡的安全感，一方面這是一種身教，讓孩子知道在大庭廣眾應該輕聲細語。我曾看到一個媽媽把握等公車的時候，蹲在地上念書給孩子聽，念了一半，公車來了，上了車後，孩子就自己拿起書來看了。台中的故事媽媽也說，她們去小學講完故事後，會把書留下來，孩子對聽過故事的書特別感興趣，就會去借閱，無形中打開了閱讀之門。

我們常忽略聽故事的重要性，聽故事對孩子來說，真是打開一扇想像力之門。我童年最好的回憶是下雨天，母親不能出外工作，我們圍著母親聽《西遊記》的故事，不管電影怎麼拍，我腦海中早就有我自己大鬧天宮的版本了。

我們都知道說話是本能，閱讀是習慣，既然是習慣就要從小培養，如果自己隨時隨地身上帶本書，有空就拿起來看，孩子自然也會有樣學樣，拿起書來看了。父母影響孩子最有力的時期就是啟蒙期，因為那個時候的主要學習機制是模仿，同時也是孩子最崇拜父母的時候。孩子有動機學得最快，所以我們常在外國的火車上看到父母子女各自拿著自己喜歡的書在看，車廂內一片安靜祥和。

另外一個可以利用的時間是替孩子洗澡的時候，那時，手在替孩子洗，但是嘴可以說故事，講到高潮時孩子也差不多洗好了，抱起來穿好衣服，到房間拿書給孩子看，請他利用剛剛講的故事做基礎，發揮他的想像力，要他編個故事講給你聽。有個實驗發現：爽身粉的味道會活化母親大腦中的愉悅中心，因為抱著剛洗過澡、擦了爽身粉的孩子，常是母親最愉快的時候。而嗅覺是個最好的記憶線索，嗅覺通往大腦的神經迴路不經過任何中途站，直接到達掌管情緒的杏仁核。因此，洗過澡抱著孩子念書，是讓母子都留下良好回憶的最佳方法。

每個人一天都是二十四小時，古人說：「夜者日之餘，冬者歲之餘，陰雨者時之餘（出自〈三國志、魏志、董遇傳〉）。」端看怎麼利用多餘的時間做自己想做的事。聚沙可以成塔，集腋可以成裘，零頭布可以縫成一件衣服，零碎時間把握住，也可以念完一本書，至少孩子不會視坐火車為畏途，其他乘客也不會視坐火車為苦刑了。

5 如果去圖書館像進糖果屋

書是「一個等待被發掘的寶藏」，
永遠取之不盡，用之不竭。

曾經看過一篇記者訪問一個八歲就會寫作的孩子的報導，記者問她：「你做過這個智力測驗嗎？」她說：「沒有，我不認為智力測驗分數的高低有那麼重要，它也與一個人的成功或快樂無關。」這句話出自一個八歲孩子的口中，真是令人嘖嘖稱奇。的確，現在有非常多的研究都指出高智商的人不見得成功，更不見得快樂，我們應該不要再迷信智力測驗了。

其實研究早就發現，有創造發明力的人不見得是最聰明的人，只要智慧過門檻，是正常人的程度就行了，但是一個成功的人必須有毅力，龜兔賽跑的故事會流傳這麼久就是它有生活上的真實性。不知為何我們台灣的教育在訓練孩子耐力和毅力上沒有著墨，我們要孩子成功，卻沒有教他成功的方法。從劉興欽的自傳《吃點子的人》（聯經出版）中，可以看出有點子的人是思想活躍，背景知識廣闊，可以觸類旁通、舉一反三的人，這些是課堂上無法教，要在生活上體驗發揮的。

這個孩子把她的愛閱讀歸功於父親每天晚上念書給她聽，她父親念的是他自己喜歡的書而不一定是童書。這就非常有意思了，人只有念自己喜歡的東西才會念得津津有味，這份熱情會傳給孩子，使她也覺得閱讀是一種享受。這個孩子把去圖書館比喻成進糖果屋，就可以想像她是多麼熱愛閱讀了。

很多父母不喜歡替孩子念書，寧可買錄音帶代勞，其中一個原因就是童書對大人來說太無趣，所以應付了事。其實很多時候我們低估了孩子的能力，他或許還不能做到，但是他已經懂了。麻省理工學院的喬姆斯基（Norm Chomsky）就說，語言表現（language performance）不等於語言能力（language competence），孩子懂的比我們想像的多。

書真的是如這個孩子說的「一個等待被發掘的寶藏」，永遠取之不盡，用之不竭。當讀者讀書時，他與作者隔著時空相遇，分享同樣的經驗、同樣的感受，我們也透過閱讀，將前人經驗內化成自己的，使我們不必用我們有限的生命去體驗宇宙無窮的事物。讀書人能夠高瞻遠顧，就是這個道理。

從這個孩子身上，我們看到閱讀對思想的影響，她早早就脫離了六歲孩子「調皮搗蛋，煩人的小不點」的階段。當記者問她長大要做什麼時，她反問「為什麼要等到長大才做？」她覺得不必等她長大，因為人生難以預料，她有很多事要做，她現在已經在做她想做的事了。她對記者說，母親在她六歲時給了她一部舊的電腦，打開了她寫作之門，因為電腦可以幫她檢查錯別字，使她可以用文字來描述她內心的境界。我覺得這是一件非常重要的事，因為寫作時必須是自由的，文章必須一氣呵成才會流暢，如果孩子寫完後，有部電腦可以幫他檢查拼錯的字，他就可以放開手去寫，不必停下來查字典，中斷思路。

看完報導後，我在想，這個孩子如果生在我們台灣，她有可能在八歲之前就出版三本書嗎？政府現在已經看到閱讀和作文的重要性了，現在得想辦法讓孩子喜歡閱讀，將進圖書館當做進糖果屋，父母就可高枕無憂了。

6 一本書影響一輩子

只要做自己喜歡的事，再苦也不覺得苦。

我們常低估書本對孩子的影響力。很久以前，有個日本小孩在舊書店中偶然看到一本阿拉斯加的攝影集，激發了他對阿拉斯加的嚮往。高中畢業時，他寫了一張沒有收信人的明信片去阿拉斯加的小村落，當他收到回信時，便去那個村落住了一個暑假。慶應大學畢業後，他便到阿拉斯加去拍攝棕熊、北極熊、鯨、麋鹿的生態影片，得了許多大獎，四十四歲死於棕熊的攻擊。看了他的書，覺得他雖然英年早逝，卻是死得沒有遺憾，至少他達成了他的夢想，實現了他的願望。一本書竟能對孩子有這麼大的影響，我們怎麼能不盡量讓孩子看書呢？

從他的書中，我們也看到只要做自己喜歡的事，再苦也不覺得苦。阿拉斯加冰天雪地，氣象報告不是說陰晴而是報告明天日照有多少分鐘，沒有極大的動機在背後支撐著，一個人很難在零下五十度的天氣露營兩個月只為了捕捉麋鹿交配的那一剎那。在惡劣氣候的荒野上生存讓他參透了生命的意義，跳脫了人類的高傲，從大自然一份子的角度來看事情。

他有一個朋友半邊臉──包括一隻眼睛──被棕熊撕去，但是仍然回來研究棕熊，題目是「人類與棕熊的共存」，這個人說：「動物的腦是一本耗費了超乎我們所能想像的時光所寫成的書，裡面記載了牠們生存的歷史。這裡面一定也寫著人類的事情，因為人與動物一直都是息息相關的，破壞自然環境，讓生物慢慢絕種，就像從圖書館中，把能夠了解自己的藏書一本一本地撕毀。」我還不曾看過有哪一段話把人類破壞生態的愚昧講得更好的，也終於了解愛因斯坦（Albert Einstein, 1879-1955）所說的：「在我的觀念裡，只有兩樣東西沒有止境，一是宇宙，一是人類的愚昧，而我不了解宇宙。」

在阿拉斯加有個守墓人，年輕時與一般的原住民沒兩樣，在新時代的漩渦中迷失了自己，沉溺在酒精與藥物中，成為街頭的流浪漢。後來他厭倦了這種沒有目的的生活，回到家鄉，正好那時經濟起飛，各處都在砍伐森林蓋房子。那片森林是一千多年前他祖先的墓地，大興土木使許多骸骨被挖出來散在各地，這個人每天來到工地，將骸骨重新埋回土中。不久，因為他的默默動作，喚醒當地人的良知，停止了這個住宅計畫。

他花了十年時光將墓地整理乾淨，沒有人委託他，也沒有酬勞。他從整理墓地中得到心靈的安慰。作者說，這個人沉默寡言，但是走在街上沒有人不認得他，小孩子會跑過去跟他打招呼說：「鮑伯，你好。」守墓治療了他心靈的創傷，他也使城裡人的心靈得到慰藉。

作者簡潔的描述令我非常感動，生命不可迷失。南投縣信義鄉布農族的小朋友曾經下山來參加全國歌唱比賽，並拿到冠軍。上遊覽車回去時，校長叫他們把布農族的衣服換下來，下次比賽再穿，孩子們不肯，說：「那是我們祖先的服裝，我們要穿！」Bravo！孩子從比賽中找回了他們的民族自信與自尊。西諺說：「我們不知道我們是誰，直到我們知道我們會做什麼。（We don't know who we are until we know what we can do.）」幫助原住民不是給他們錢而是給他們機會，發展他們的長處，贏回他們的自尊。

7 閱讀：給孩子的最佳禮物

閱讀不像說話，如果沒人教，孩子不會自己學會閱讀。

學生問我為什麼只推動閱讀，不推多媒體，眼睛和耳朵都是攝取外界訊息的管道，為何我只注重視覺管道，厚此而薄彼。

其實兩者雖然都是獲取外界資訊的方法，但是效率不一樣，眼快耳慢，在我們大腦處理的歷程也不一樣：眼睛處理訊息的方式是平行處理，一個大人一分鐘至少可看四百字；耳朵是序列性處理，聲音依進來的順序組合成不同的意義，如「教育性」、「性教育」，同樣三個音依進來順序不同得到不同的解讀，我們耳朵聽音時，兩個音之間必須留點空白，不然第二個音會聽不見，電話號碼如果末二碼重複，許多人就只聽到一個數字。我們一分鐘大約可說一六〇到一八〇個字，即使舌頭可以動得更快也無用，因為話說得太快，無法辨識，就白說了。

中國人在視覺記憶上稍佔一些優勢，曾有實驗顯示中國人的視覺記憶強過聽覺記憶，因為中文同音字很多（如 /i:/ 就有一百四十一個同音字：義、衣、依、夷……），聽覺管道進來的訊息不確定性也較高，我們對自己聽到的東西常沒把握，但是眼睛看到的就比較有信心，中國人多使用名片就是這個道理。至於多媒體，它的好處是生動，容易抓住學生的注意力，缺點是它鎖住學生的想像力。我們一般要求學生先讀世界名著再看改編的電影，就是這個道理。電影是導演的想像力，先看了電影，自己的想像力就發揮不出來了。我喜歡閱讀的原因是文字不像聲音，隨風而逝，一篇好的文章，它帶給你的感動是長長久久，而且會因為年齡、心情的不同而異。

二十一世紀資訊爆炸，對訊息處理的要求是迅速、正確，email 使閱讀變成二十一世紀競爭力的基本條件，因為它不必像電話一樣要計算兩地時差，也不必因對方不在而浪費自己撥電話的時間，因此我們必須從小培養閱讀的習慣。

閱讀不像說話，如果沒人教，一個孩子是不會自己學會閱讀的。在小學二年級以前，孩子是learn to read，三年級以後是read to learn，用閱讀來打開知識之門。這扇門打開後，他的天地是人類五千年來文化的精華，在裡面翱遊的樂趣是無可比擬的。

「閱讀」是父母送給孩子一生最好的禮物，因為這個能力取之不盡，用之不竭，永遠受用。

8 閱讀的三大好處

閱讀是吸取訊息最快速的方式，
也是不受時空限制獲取資訊最好的方式。

有人說閱讀是現代文明的基石，因為透過文字，我們傳承到古人的經驗和智慧，使我們不需要每一代都重新發明輪子或任何已經發明過的東西。它使我們可以站在前人的肩膀上看得更遠。

但文字和語言雖然都是溝通的工具，兩者在學習的難易、大腦處理的機制上卻很不一樣。一個正常的孩子只要生活在正常的環境中就很自然的學會說話，不需要刻意的教；閱讀就很不同了，它往往需要循序漸進的正規教育才可能學得會。而且要做到精通文字，至少要十年寒窗苦讀，不像一個才三歲的孩子口語表達的能力就很好了。

現代是個資訊爆炸的時代，太多的資訊同時湧出，令人目不暇給，而閱讀是吸取訊息最快速的方式，也是不受時空限制獲取資訊最好的方式。所以現代所有的先進國家都在努力推動閱讀，國民的閱讀能力直接關係著這個國家的生存競爭力。

因為閱讀必須努力才能擁有，所以這個習慣必須像其他所有的習慣一樣，從小培養。把它變成生活的一部分後，習慣成自然，孩子才會隨時打開書來看，才會喜歡閱讀。現代的腦科學研究已經看到閱讀可使神經連接綿密，迴路活化得深，較不容易得到阿茲海默症。也因為神經連接得密，一個迴路運動電位的流動容易激發另一個神經迴路，變成我們在行為上所看到靈光一閃，想出點子或是所謂的舉一反三，看到一個馬上聯想到其他的可能性。這個現象會增加創造力，而創造力與國家的競爭力有關，在講求創新的現代社會，這是一項重要的助力。

尤其是閱讀使孩子內化前人的經驗，使它成為自己做人處世的圭臬。因此許多企業的面試都從過去的刻板智力測驗改為輕鬆的與主管聊聊他最近看的好書，因為從書中可以知道這個人的深度、性向、價值觀等智力測驗無法顯示的人格特質。

其實，十八個月大的嬰兒就可以抱在腿上開始親子共讀了，如果一個孩子到小學三年級後還沒有自己打開書本看的習慣，父母就要開始憂心，需要加把勁陪他一起讀或念書給孩子聽，啟發他的興趣和養成他的習慣。一個有念課外書的孩子，到十八歲時腦中詞彙的數量是二十萬個字根，而一個沒有閱讀習慣的孩子只有六萬。

閱讀同時培養孩子的邏輯性，因為作者並不知道讀者在哪裡，他必須有條有理的將他的思緒一步一步呈現出來，讀者才能了解，所以書面文字一般都比說話有條理，孩子在閱讀中會不知不覺習得這個邏輯性。這是閱讀的第一個好處。

有人說「打開一本書，打開一個世界」，閱讀可以打開孩子的視野，使他的想像力不再局限於生活周遭的經驗，可以超越時空的限制，無遠弗屆。想像力與創造力有關，所以閱讀也可以增加孩子的創造力，這是閱讀的第二個好處。

閱讀的第三個好處是增加待人接物的常識，培養孩子的同理心，使他成為一個有風度、有教養的人。孩子從書中了解什麼行為是社會許可的、什麼是不道德的，並且透過書中人物的認同，產生自己的價值觀與同理心。最重要的是，一個有閱讀習慣的孩子永遠不會寂寞，因為他可以在書中得到心靈的昇華。

閱讀是一件愉快的事，不要把它變成功課或作業。閱讀不一定要寫讀書報告才知道他有沒有讀進去，我們可以讓孩子畫張畫表達他看完的感覺，或是試著改變書的結局，自己創造一個結尾，讓他比較自己的結尾和原著的哪個好，這樣更可以增加他們讀的深度。若是孩子已經從小養成閱讀的習慣了，那麼父母就可以鬆一口氣開始享受你的人生，因為書中自有先聖先賢來替你教導孩子，他不會變壞了。

9 教育是脱離貧窮唯一的機會

我們沒有教會孩子感恩惜福，
浪費了上天給我們的恩賜。

十二月，北國天寒地凍，我們去芬蘭開會。一下飛機，同行的教授便在冰上滑了一跤，幸好年輕，還爬得起來。他邊站起來邊嘆氣說：「天作孽猶可違，自作孽不可活」，大家聽到都爆笑起來。沒錯，氣溫華氏零下是天作孽，但是要到這種地方來開會，是自作孽。

其實這個會議是我多年來，開過最有意義的一個國際會議。因為這次會議的宗旨是如何集全世界專家之力，教會非洲、南美洲開發中國家失學孩子的閱讀。

為什麼是閱讀？因為教育是脫離貧窮唯一的機會，只有人民教育水準提高，國家才可能富足；也只有大家有飯吃，自己的飯才吃的安穩。飢寒會起盜心，一旦最基本的溫飽不能滿足，社會便不安定，貧富差距拉大，戰爭就會起來。所以要維持世界永久的和平，唯一的方式就是均富，讓人人有飯吃，而均富必須從教育做起。

這次會議在芬蘭舉行是因為芬蘭的著名發展神經學教授被聯合國教科文組織（UNESCO）聘為聯合國教授，負責全球閱讀，而他是我們國際研究團隊的成員，一起合作了二十年。因此他召開會議時，加州大學舊金山醫學院的神經學家、遺傳學家，耶魯大學哈斯金實驗室的神經語言學家，還有我們，大家都不顧寒冷，一起來芬蘭腦力激盪，找出最好的方式來執行這個計畫。雖然聯合國有很多計畫在幫助開發中國家，但芬蘭這個計畫跟別的國際計畫不同，它是推動當地文字的閱讀而不是英語的閱讀。

在會議中，我看到了大數據的力量：芬蘭的學者分析了不同國家出生三到五天的嬰兒在聽語音時的腦波（ERP）數據，結果發現不管什麼語言，只要腦波的型態（patten）不正常，這孩子長大後，就會有閱讀上的問題，可能成為失讀症者（dyslexia）。大數據也讓研究者看到安眠藥不可多吃，因為安眠藥使人的睡眠變淺，而免疫系統只有在深度睡眠時，才發揮作用。免疫力低，就容易生病。

這次會議為了使師資不夠的非洲，能找出高科技可以幫忙的地方，邀請了電玩設計者來參加，看如何把學術上的發現應用到產品上，設計出更有利教學的遊戲。我看到廠商上台報告，大吃一驚，心想若在台灣，芬蘭學者就死定了，因為他「圖利他人」。但在國外，只要對孩子好，都可以做，這讓我感慨萬千，我們的民主盲點使我們做繭自縛。

從零下二十度的芬蘭回到零上二十度的台灣時，真的很慶幸自己生在寶島，但是打開報紙一看，發現離家一週，台灣還在批鬥，對異類繼續趕盡殺絕，不禁為我們教育的失敗感到痛心，我們沒有教會孩子感恩惜福，浪費了上天給我們的恩賜。想到一週前「自作孽不可活」這句話，唉！現在的空污、抗爭、空轉，真的是自作孽呀！

第8篇

好書大家讀

1 孩子的第一個老師

被信任的孩子會自重自愛，
也會主動去學習，在社會上才會成功。

《媽媽是最初的老師》（天下雜誌出版）是一本我所看過最好的親子教養書，看完心中非常感動，真希望天下父母都能像這位媽媽一樣開明、善解人意，天下老師都能像書中老師那樣鼓勵孩子上進，天下孩子都能像作者的兩個女兒一樣聰慧努力，自動自發。

細想起來，這三者是互為因果的。父母先要有正確的觀念，知道分數只是評量的一種，卻不是唯一的一種；成績單只是一張紙，重要的是孩子學進去了多少。父母的觀念會影響老師的態度，老師又會影響孩子的動機，若都是正向的，自然就會得出書中主人翁的成果了。其實現在我們收研究生已經不再看成績單了，因為甲校的一百分可能等於乙校的五十分，何況課堂上學的若不會實際運用也是枉然。因此，當孩子以要考試來要求母親減免不洗碗時，母親斷然拒絕說「不差那二十分鐘」，令我拍案叫好。

現在的父母只要孩子念書，什麼事都不要孩子做，使孩子變成生活上的白痴，而且很自然流露出念書最大、考試最大的神情，這是不對的。讀書只是成長的一部分，為未來做準備，「未來」還需要很多的能力，那是課本不能給，必須從生活中去體驗的。所以這位母親在煮菜時，把孩子叫到廚房來看，學習過日子。

我的母親也是從小叫我們姐妹做家事，使我們每個人都會拿菜刀和剪刀，到現在打毛衣、勾鉤針、做飯菜都不必求人，更讓我們知道「薄技隨身勝過良田萬頃」，讀書和做家事是不相牴觸的，只要你知道如何利用時間。這位母親的觀念是她孩子成功的最主要原因。

作者因為職務關係，帶著孩子從台灣到曼谷又到新加坡，在這過程中，孩子經歷了不同國家的不同學制。當我看到台灣國二的數學家庭作業是一百九十六題，而曼谷最多才四十題時，真是難過。我們的孩子天天困在四牆之內演算那些永遠做不完的習題，真的有這個必要嗎？為什麼其他國家的孩子花在做習題上的時間比我們少，數學成就卻沒沒有比我們差？

書中有一則是〈做功課還是抄功課？〉，為了應付不可能做得完的作業，孩子學會了作弊。但是大人在生氣之前，請先想一想，沒有孩子願意作假，這是官逼民反！大家都知道質比量重要，台灣卻始終跳脫不開「量」的窠臼，連大學教授升等都是看篇數。或許中國人人情壓力太大，只好都用「量」以求公平，其實這篇文章的最後面點出了台灣教育的問題：老師因為擔心孩子不能自動自發，所以派了很多功課，卻忘了只有被信任才能養成自動自發的學習習慣。作者說的沒錯，台灣的教育是消極的防範，而不是積極的教導。其實我們所有的政策都是消極的防弊，現在匯款一次只能匯三萬了，但是歹徒依然繼續詐騙逍遙法外，人民生活卻被法規綁得更不便了。

作者的女兒不喜歡上台灣的美勞課，因為老師常要求學生這樣做、那樣做，使得學生的作品出來都是一個模樣。這是台灣教育最大的問題，我們到了二十一世紀仍然用十九世紀的模子來套學生，使教出來的學生人人一個樣，失去了自我個性，如果連美勞課都不給學生一點創作的空間，難怪台灣的學生對上學這麼沒興趣。

台灣的教育千頭萬緒，但是在這本書中，透過孩子親身的體會，你可以嗅出我們學生不快樂的原因。我們要求孩子照著我們的話做，因為我們吃過的鹽比他們吃過的米多，走過的橋比他們走過的路多。我們忘記了在演化上，只有子代超越親代，青出於藍更勝於藍才是成功。要更勝於藍，我們必須給他們超越我們的空間。

本書文字流暢，淺顯易讀，但道理很深。希望這本書能夠給台灣的父母和老師一個反省的機會，學習可以是快樂、有實質的，但首先，我們必須改變分數是惟一標準的觀念；第二，必須放手給孩子一個發展的空間。一個被信任的孩子會自重自愛的，一個會自重自愛的孩子才會主動去學習，在社會上才會成功。

2 打開孩子胸襟的一套書

人要喜歡跟自己在一起，
才不會因為害怕孤獨而屈就別人。

台灣現在給小學生看的書已經很多了，書店中各種繪本童話、改編的世界名著、中國歷史小說，充滿了書架，但是給國中以上學生看的書卻不多。國中生在各方面是處在一個青黃不接的階段——已經不是小孩，卻還不算大人；智慧已開，但又不是全懂事，是所謂尷尬的年齡。偏偏在智慧發展的歷程上，青春期時，荷爾蒙第二次大量分泌，它又是大腦重組、神經最後一次修剪的階段，是最能受啟發的時期。因此如何找到可以開啟孩子的視野，激勵他上進又教他做人的道理的書，就成為我最近的功課了。

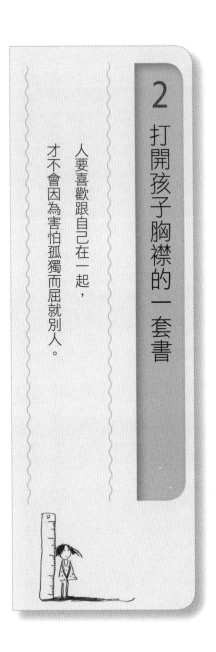

最近運氣很好，連續看到好幾本好書。有位湯姆・布朗（Tom Brown）寫的【追蹤師】系列（野人出版）。這系列講的是一個生在十九世紀末阿帕契印地安老人——潛近狼（Stalking Wolf），如何在紐澤西州的森林中教會一個白人小孩繼承他的衣缽的故事。湯姆・布朗就是這個白人小孩，他後來成為美國最有名的追蹤師。潛近狼之所以叫這個名字，是因為他「來無影、去無蹤」，又能夠在別人都看不見任何痕跡的地面找出動物走過的足跡，他潛行的功夫好到連最機警的動物都察覺不到他的存在。

這序列從布朗在童年如何遇見潛近狼，如何在他的教導下，走上一條與所有白人都不一樣的路。透過潛近狼的遭遇，讓我們看到二十世紀的變動，尤其人們捨棄心靈去追求肉慾的愚蠢。這系列書的書頁上都有一個小小的印地安人追蹤動作的剪影，剪得非常好、非常傳神，使我在看書時，腦海中就浮現這個印地安人的影像。

印地安人教孩子打獵時，先教他在野地靜靜的坐著，要坐到他與大自然融為一體時，就會聞到以前不曾注意到的空氣中的味道；看到空無一物中，微小的大自然變化；聽到萬籟俱寂中，風的流動。印地安人說一個不會靜靜坐著的孩子無法變成成熟的大人。我想所有的老師都有同感：一個無法安靜下來的孩子是無法學習的。

現在青少年心很浮躁靜不下來，我很希望我們學校的體育課能教太極拳和武術，古人說「靜而後動」是有道理的，少林寺的和尚就是用習武來靜心、修身。很多人以為武術是動，怎麼修練「靜」呢？其實在達到靜之前，先要專注，動就是訓練專注，所謂「眼觀鼻、鼻觀心」，心無二意。假如我沒有在霧社親愛國小的孩子身上看到練鼓、練武對孩子造成的改變，我想我也不會有這種領悟。我親眼看到整天在山裡跑的孩子因練武而安靜下來，因為打鼓的節奏必須分秒不差，它需要孩子的全神貫注。

這個被湯姆・布朗尊稱為「祖父」（正是這本書的英文名字 *Grandfather*，中文叫《草原狼導師》），教的正是我們中國修身的哲學，也是《孫子兵法》中，所提到「疾如風，徐如林，侵掠如火，不動如山」的道理。我看到祖父訓練孩子在酷日之下，沒有水壺行軍，孩子唇乾舌焦，喉嚨乾到說不出話來，而祖父氣定神閒，好像他完全不會口渴似的。走了一天，終於看到小河時，孩子迫不急待跳下去，大口喝水，祖父仍然從容不迫地緩緩趨近水邊，莊嚴的、珍惜的捧起水來，仔細的品嘗水滋潤乾枯喉嚨的感覺，好像把乾渴當成恩典。

祖父告訴他，他年輕時曾經在死亡谷中差點渴死，後來看到一隻蜥蜴，在沙漠中悠然自得，才了解，你必須把沙漠看成家，是你歸屬的地方，而不是煎熬你的地方，你才會遵循沙漠的法則，生存下去。通常生存條件不好時，外來者會死亡而本地人會生存下去，因為認為自己在家的人，不會有任何煎熬的感覺，會自然融入環境去接受它。金窩、銀窩，不如自己的草窩，身心處在深層和平狀態，你就能感受到它的生機。沙漠並不是荒涼的，有無數小動物在那裡生活，當生命不再是煎熬時，沙漠和人就成為一體。祖父終於了解乾渴並不代表苦痛與死亡，它是沙漠的真相，是一份需要用心辨識的生命禮物，它激發出人的求生意志。

書中有非常多啟發孩子的警語，如祖父的祖父雷電草原狼（Thunder Wolf）告訴他：「獨處和孤獨是完全兩回事，想要在獨處時感到平靜而不孤單，就必須明瞭你是跟最好的朋友在一起，當你能夠和自己和平相處，能夠愛自己，你就永遠不會感到孤單。」這段話一定要讓所有的青少年知道，一個人只要懂得愛自己，就能愛別人，只要能愛自己，孤單就不會存在，人必須先找回對自己的愛，才能體會出獨處的純粹。

現在很多年輕人的愛其實是依賴，害怕孤獨，要找個人靠著；為了怕被別人拋棄，所以委曲自己，迎合別人，一旦「將心比明月，明月照溝渠」時，就自怨自艾，最後落得憂鬱症。書中藉著祖父困在阿拉斯加雪地中的經驗，告訴我們如何將孤單轉化為獨處的能力：祖父在遇到暴風雪差點死亡，最後在爬回營地的過程中，開始對自己身體的律動感到禮讚。在那裡，他找到對自己的愛，他停止對自己每個念頭、每種行為的批評，轉而接納自己、重視自己。就在那一刻，他了解了他祖父對他講的話的意義，他不再感到孤單。

這本書對青少年是個很好的啟發，人要喜歡跟自己在一起才不會因為害怕孤獨而屈就別人。印地安人是相信靈的，在靈的世界中，沒有人是獨處的，印地安人透過靈與天地萬物相連。我們雖然不相信靈，卻希望孩子透過閱讀而了解宇宙的無窮與生命的意義，我們來自塵土，必歸塵土，在物化之後，我們會如科學家所說的，構成身體的氫原子、碳原子，在空氣中與祖先的原子相接觸。所謂「古人不見今時月，今月曾經照古人」，從大處看，生命是生生不息，無止境的。

這本書把孩子的胸襟打開，開闊到天人合一。有這種胸襟的孩子不會去自殺，有這種視野的孩子也不會因挫折而沮喪。只有不把挫折當煎熬，才有可能看到生機，人才能世世代代活下去。

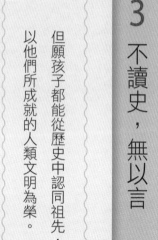

3 不讀史，無以言

但願孩子都能從歷史中認同祖先，以他們所成就的人類文明為榮。

歷史是一個民族的根本，它是一段歷程，記錄這個民族的從甲到乙時間和空間上所發生的事，每個民族都很注重自身的歷史，如果沒有史，編也編一個出來以向後人交待祖先是怎麼來的。像台灣這樣不注重史，還要去之而後快，真是千古少有。沒有根的樹是活不長的，看到現在政府用公權力大力的去讓它的子民遺忘祖先的故事，真是深以為憂。

中國的俗語說「兒不嫌娘醜」，不管過去的歷史是如何不堪都應該珍惜它，它是「己身所從出」的地方，是祖先走過的痕跡，飲水要思源，不可忘本。孔子說

「**見賢思齊，見不賢而內自省**」（出自《論語・里仁》），歷史不可隱藏也不可抹殺。「**在晉董狐筆**」（出自《正氣歌》）就是史官最好的典範，更何況我們有著全世界獨一無二的輝煌燦爛歷史，怎麼可能不叫孩子去讀自己的歷史，不讓他知自己的祖先曾經創造出連現代高科技都做不出來的像馬王堆出土的蠶薄紗的文明？

所有孩子在成長過程中都需要一個榜樣，好讓他立志效法，「養天地正氣，法古今完人」曾是我們教育孩子的準則，歷史上有這麼多可歌可泣的榜樣，我們都希望孩子長大成為正直有節氣的人。現在我們為了意識形態，劃地為限，在渡黑水溝以前的歷史統統不教了，把祖先留給我們最珍貴的文化遺產，一盆水全潑了出去，我深覺可惜。

很多人覺得現在年輕人膚淺，一問三不知，只會追星、穿名牌，細想起來，是我們的錯，怎能怪他們？孔子說「不學詩，無以言」，我更認為「不讀史，無以言」，是我們沒有好好教育下一代，沒有給他們深度。所以現在看到有人也感覺到孩子不讀史的危險，願意寫歷史、出版歷史給孩子看，做為一個知識分子，我怎能袖手旁觀，不盡一份綿薄之力呢？

唐太宗對梁公說：「以銅為鏡，可以正衣冠；以古為鏡，可以知興替；以人為鏡，可以明得失。」千百年來，物換星移，滄海桑田，只有人性未變，讀史正是可以知興替，可以使自己不重蹈前人的覆轍。歷史教我們的其實就是智慧，我常覺得一所學校中，最重要的是歷史老師，一個會說故事的好的歷史老師可以兼教公民課程，他可以用說故事的方式將倫理、道德、價值觀帶給學生，只要把學生讀史的興趣帶起來，讓孩子自己去讀史，讀多了，國文程度會好，因為了解典故就會用成語和比喻，就可以增加文章的文采，語文能力好了，學別的科目也容易了。

《可能小學的歷史任務》（天下雜誌出版）這套書用孩子最感興趣的時光機器把孩子帶回古代，讓他們身歷其境的體驗古人當時的生活，如在秦朝是只有犯人才剃頭、剃鬍的，難怪我們看到的兵馬俑都是留著大鬍子。

因了解而得到的知識是長久的，但願我們的孩子都能從歷史中認同他的祖先，了解他們一代一代的哲學思維與藝文的創意，以他們所成就的人類文明為榮。

4 活用才是資優生的特質

愈是資優生愈需要教導是非對錯，
不可因孩子聰明就縱容放任。

在台灣，大多數的校長和老師聽到「資優班」這三個字往往嚇得退避三舍，因為跟隨這三個字而來的就是人情包袱和政治壓力。台灣的父母為了使孩子進入資優班，無所不用其極，然而一個非資優的孩子進入了資優班，老師、學生都痛苦，所以大家都不願碰「資優」這兩個字，怕助紂為虐。我拿到這本書，看到書名《我的資優班》（寶瓶文化出版）時，心中第一個反應是，又是炫耀於人、自我膨脹的書，但是看到作者名字就立刻改容，找個安靜地方坐下來看書了。

作者是台灣少數對教育觀念非常正確的老師，我並不認識，但是從他學生口中聽過他，一個老師的好壞從他已經畢業的學生口中來評估往往是最正確的。「養兒方知父母恩，事非經過不知難」，學生只有在自己出道做老師了，才能體會當年老師的苦心。他教過的學生對他都讚不絕口，因此，我想看看這個老師有何德何能，竟能降伏建中資優班的高材生，使他們一個個心服口服。

這本書拿起來看後就放不下來，它文字流暢、動人心弦，誠實的反應出台灣教育的現況，更一針見血的點出一個好老師成功的訣竅——帶人帶心。一個關心學生的老師即使態度嚴厲，學生心中是知道的，反而是討好學生的老師，學生會看不起。只要真正用心，沒有帶不起來的孩子。資優班與後段班碰到的問題雖然不一樣，但基本是相同的，即基礎教育應該是品德教育，有品德的孩子有紀律，有紀律才能受教，即使功課不怎麼樣，出社會仍是個有用的人。

作者注重學生品德，所以他成功了。他說他其實是特別注重資優生的品德，台灣社會對資優生有莫名的寵愛與優惠，社會的資源有意無意都集中在資優生上。九二一地震之後教室變危樓，大家晴天在大樹下、雨天在車棚中上課，資優班卻常會分配到全校最好的教室，如有冷氣的視聽教室。大家敢怒而不敢言，誰叫自己不夠聰明，不能享受特權。但是資優班用視聽教室的大銀幕去看A片就太不應該了，作者的怒發得有道理。

這本書讓我們看到，越是資優生越是需要人教導是非對錯，父母不可因為孩子聰明就縱容放任他。

每個人成長的過程中都經過青春期的不安、徬徨與疑惑。資優生內心的衝擊比一般生可能更大，如果沒有一位掌舵的老師，了解人格的建立、視野的開展、同理心的培養，是青春期最重要的事，建中這第二十五班學生會變成我們所常看到的資優生：目空一切、桀驁不馴、自以為是，除了功課會、什麼都不會的人。作者鼓勵學生參加外活動，除夕在學校露營，培養同學的感情，因為朋友將是人生路上最有力的支柱。

最重要的是，作者希望透過互動來培養學生的同理心。書中就提到班上有個同學對山洪爆發全家罹難的小女孩毫無同情心，譏笑她「誰叫她要住山上，不搬下來」，絲毫不了解越是弱勢的人，越沒有選擇住的權利。作者花了一個章節來講這個例子，我覺得很對，如果沒有教會同理心，這個教育是失敗的。

這本書最重要的地方在於，作者看到學習如果只是強調升學率就失去學習的意義。他說當「環境，展望，期許」變成「設備，分數，壓力」時，再怎麼有潛力的種子都開不出花來。在學生成長的過程中，典範與支援非常重要，沒有典範、沒有榜樣，就沒有理想；沒有理想，再好的天賦也被蹉跎消耗掉；沒有心靈的支援，越是聰明的孩子越容易鑽牛角尖，當曲高和寡、高處不勝寒時，容易偏激而自我了斷。

研究發現，資優生中有相當高的比例為亞斯伯格症（自閉症的一型），相信看過電影《雨人》（*Rain Man*）的人，都會為達斯汀・霍夫曼（Dustin Hoffman）演的自閉症者的能力感到震驚，火柴盒掉到地上散落一地，他一眼就能看出有多少根。亞斯伯格症的人對某些特定領域特別強，如藝術、音樂、數學。這些孩子若是沒有一個了解他內心世界的人可以談心，獨來獨往日子其實是很痛苦的。有一首非常好的英文詩〈理察・柯瑞〉（Richard Cory）大意是這麼說的：鎮上每個人都非常羨慕柯瑞先生，他代表著每個人所期盼想有的家世、名譽、財富、成就，但是在一個安靜的夏天夜晚，柯瑞先生把一顆子彈射入自己的大腦中。

外表常是障眼法，愈是資優愈會偽裝。每個人都需要朋友，都需要被人了解，作者在書中呼籲父母不要只在乎孩子的成績，成績好不代表他內心火山沒有蠢蠢欲動要爆發。看到這章〈孤獨的靈魂〉我心中浮現好多張面孔，逝者已矣，來者猶可追，希望這本書能讓父母、老師了解「心死人才會死」，不要把一切罪惡推給「課業壓力」與「同儕惡性競爭」，應該找出他心死的原因。現代的父母忙於生計，很多孩子是寂寞的，想不開時，悲劇就發生了。

這本書我最欣賞的是作者對教育的正確觀念。他反對教務處排名次，如果排名次，就一定會有第一名、最後一名，他問，你會因為好朋友是最後一名而不理他嗎？同學們搖頭，那麼這個排名次不是很無聊嗎？人有失常，馬有失蹄，花無百日紅，人無千日好，人生本來就不可能永遠第一名，既然過去的聯考因為一試定終身而為人詬病，大家上街遊行要求改革，我們現在為什麼每次段考又要排名次呢？第六名退到第十名在我看來沒什麼了不起，但是我就知道有學生在第二次段考時因為這樣被老師天天叫起來羞辱，最後精神崩潰進了醫院。

以目前制度來看，考第一名最危險，因為進無可進，只有退路一條，考了第二名一世英名便泡湯，掛上「退步」的標籤，我想第一名的學生心中壓力應該是最大的。台灣對分數的盲目崇拜一日不改，學生一日不會快樂，羅斯福總統當年提出免於恐懼的四大自由時，忘了加上免於因一次考不好被老師羞辱的恐懼。

台灣從以前到現在一直是只重表面成績，不管學生實際學到了什麼。有一次作者故意在上課時，只教課本，在黑板上仔細講每個公式、每個定理怎麼導出來的，完全不講外面補習班的補充難題，結果學生眼睛就出現了輕蔑的眼光，上課開始不聽講，自己偷看《數學競賽大全》。月考時，老師出的考題完全是課本的例題和習題，連數字都沒改，結果全班的總平均不及格。

為什麼可以參加國際競賽的資優生在考課本例題時會全軍覆沒呢？因為我們台灣只重表面成績，國一學生就學微積分，然後用它去解求極大值的問題，使能快速得出正確答案。表面上看起來很厲害，但沒有有系統的學習是沒有根的，知其然而不知其所以然，一問根本問題就垮下來了。天天割雞用牛刀，養成習慣後就是本末倒置，散亂的知識沒有架構在後面支撐，最後一定會崩下來。

在台灣，常見許多檯面上的人物談得頭頭是道，一問細節便噤聲了。由於這個社會從上到下都在「唬」人，只注重表面的花拳繡腿，不注重內在的真功夫，所以我們的科學無法生根，不知現象背後真正的意義是什麼，有補習班老師甚至說「數學不會？把它背下來，以後就會懂了」。公式是捷徑，知道路怎麼走時，套公式可以節省時間；不知道路怎麼走時，公式是沒有用的。

我們一直是機械化的訓練學生，給他無數的練習題，不停的做，要求快、快、快，卻沒有教他如何思考，學測或指考甚至要求一題都不准錯。在這種教育體制之下，我們訓練出一批呆板的考試機器人，接到指令就會做，沒有人指揮就站著不會自己動。這是台灣教育的危機，不會應變對講求創造力的二十一世紀是不利的。因此，我們呼籲青春一定要留白，要留下時間讓學生反思、體會，只有經過思考才能把零碎的知識整合成一張網，才能融會貫通。

讀書不是苦讀，苦讀並不能使一個孩子變成資優生，活用才是資優生的特質。一個孩子若有幽默感、有創意、有自信，肯與人分享，在我心目中，他就是資優，至少他有資優的態度。如果大家能用本書作者的方式教學生，我敢說台灣的未來一定會不一樣，就如作者所說的，二十年後，且看今朝。

國家圖書館出版品預行編目(CIP)資料

通情達理 / 洪蘭著 .
-- 二版 . -- 臺北市 : 遠流 , 2019.03
面 ; 公分

ISBN 978-957-32-8466-6 (平裝)

1. 言論集

078 108001397

洪蘭作品集 16 講理就好系列

通情達理 增訂版

作者/洪 蘭
主編/陳莉苓
特約編輯/楊可可
封面設計/江儀玲
內頁插畫/唐壽南
行銷 · 校對/陳苑如
排 版/平衡點設計

發行人/王榮文
出版發行/遠流出版事業股份有限公司
100 臺北市南昌路二段 81 號 6 樓
郵撥/ 0189456-1
電話/ 2392-6899 傳真/ 2392-6658
著作權顧問/蕭雄淋律師

2019 年 3 月 1 日 二版一刷
售價新台幣 320 元(缺頁或破損的書,請寄回更換)

遠流博識網
http://www.ylib.com
e-mail:ylib@ylib.com

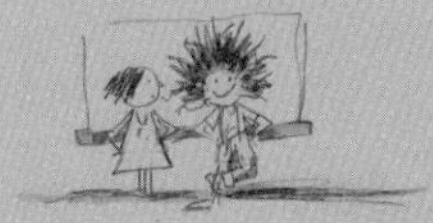

通情達理

通情達理